F

Bericht aus

gegeben nach eigener Anschauung in den Jahren 1848 und 1848

Haecker, J.G.

Bericht aus und über Amerika

gegeben nach eigener Anschauung in den Jahren 1848 und 1848

Inktank publishing, 2018

www.inktank-publishing.com

ISBN/EAN: 9783747791936

Bericht
aus und über Amerika

gegeben

nach eigener Anschauung

in den Jahren 1848 und 1849

und veröffentlicht

für Auswanderer

von

J. G. Häcker aus Chemnitz.

Leipzig, 1849.
In Commission bei F. G. Beyer.

Wer ein Buch über die bestimmte Lesezeit : Tage behält, bezahlt nach Verhältniß mehr dafür. Ein zur Ansicht ausgegebenes Buch wird nach Verlauf von drei Stunden als gelesen betrachtet und bezahlt.

Ordnung in Ansehung der Zurückgabe der Bücher, Reinlichkeit und Enthaltung des Einschreibens und Beschädigung derselben, erwarte ich von meinen Lesern, oder Ersatz des gemachten Schadens: daher bitte ich höflichst, mir die etwa vorgefundene Beschädigung der Bücher gefälligst anzuzeigen, damit der vorhergehende Leser in Anspruch genommen werden kann.

Lese-Institut von
H e i n r i c h I h l e
in Wilsdruf.

Inhalt.

Einleitung.

Als nach der französischen Revolution im Februar 1848 auch in Deutschland Unruhen ausbrachen, in Folge deren alle Geschäfte stockten und die Aussichten für die Zukunft sich immer trüber gestalteten, da entschloß ich mich, einen schon vor vielen Jahren gefaßten Plan auszuführen und nach den Vereinigten Staaten von Nordamerika auszuwandern. Kaum hatte ich meinen Entschluß einigen Freunden mitgetheilt, so wurden mir mehrfache Anträge, daß ich den Führer einer Gesellschaft Auswanderer abgeben möge. Die vielen Beispiele, daß solche gesellschaftliche Auswanderungen nicht glückten und die Führer bei dem besten Willen doch nur Unzufriedenheit mit ihrem Wirken erndteten, veranlaßten mich, diese Anträge abzulehnen; doch wurde ich dadurch zu sorgfältigem Nachdenken angeregt, ob nicht eine solche gesellschaftliche Ansiedlung möglich sei, ohne daß die Gefahr des Mißlingens vorhanden wäre. Ich fand, daß es hauptsächlich zwei Ursachen waren, an denen dergleichen Unternehmungen scheiterten. Entweder war der Führer zu sehr an den Willen der Mehrheit gebunden und mußte gegen seine bessere Ueberzeugung handeln, wo dann gewöhnlich die Gesellschaft auseinander ging, ehe sie den gewünschten Ansiedlungspunkt erreichte, oder der Führer war zu unumschränkt, die Mitglieder der Gesellschaft zu sehr gebunden, so daß sie an Orte und in Verhältnisse geführt wurden, die sie bei mehr Willensfreiheit nie gewählt haben würden und aus denen sie sich nur mit den größten Opfern wieder herausreißen konnten. Um nun diese Uebelstände zu vermeiden, entwarf ich nachfolgenden Plan zur Gründung eines Vereinigungspunktes für deutsche Ansiedler, wo ihnen Vortheile geboten

werden, wie wohl noch bei keiner derartigen Unternehmung, ohne daß sie in Europa irgend eine Verpflichtung einzugehen brauchen. Jeder soll vollkommene Freiheit haben, das Land erst anzusehen und die Einrichtungen der Kolonie erst kennen zu lernen, ehe er sich ansiedelt; nur diejenigen, welche die Ueberfahrt gemeinschaftlich und dadurch billiger machen wollen, sollen eine geringe Entschädigung für meine Bemühungen zahlen, wenn sie nicht in der Kolonie bleiben wollen.

Nach Feststellung dieses Planes handelte es sich darum, schon in Europa einen geeigneten Platz für die beabsichtigte Niederlassung zu wählen und diesen dann persönlich zu prüfen, da es mit zu viel Zeitverlust und Geldkosten verknüpft gewesen wäre, die Vereinigten Staaten nach allen Seiten zu bereisen und einen solchen zu suchen. Zu dem vielgepriesenen Texas konnte ich mich nicht entschließen, obgleich hier noch große zusammenhängende Stücke Land zu mäßigem Preise ausgeboten werden, die auch in sehr gesunder Lage sein sollen. Jedenfalls ist dieser Staat noch nicht geeignet für deutsche Einwanderer; das Klima ist zu abweichend von dem deutschen und auf jahrelanges Kränkeln vieler Ansiedler mit Gewißheit zu rechnen; der Landbau beschränkt sich neben großartiger Viehzucht auf den Anbau von Mais, Baumwolle und Zucker; noch giebt es blos unwegsame Straßen, die nur mit großen Kosten fahrbar gemacht werden können, wodurch die Aussicht auf Verwerthung der Erzeugnisse innerer Landestheile sehr unsicher wird; die Küstenländer und die Ufer der größeren Flüsse sind aber als höchst ungesund und durchaus unpassend für Deutsche bekannt. Die übrigen südlichen Staaten, Louisiana, Mississippi, Alabama, Florida, Georgia und Süd-Karolina, konnten wegen ihres ungesunden, für Deutsche gänzlich unpassenden Klima's nicht in Betracht kommen, eben so wenig Arkansas, welches die Nachtheile aller genannten Staaten in sich vereinigt, ohne deren Vortheile zu besitzen, da allen Nachrichten zu Folge die Ufer des Mississippi nicht zu bewohnen sind und der Zugang zu denselben durch meilenweite Sümpfe so versperrt ist, daß gesunde und fruchtbare Strecken von aller Kommunikation gänzlich abgeschnitten sind. Nord-Karolina, so wie die ganze Reihe der von da ab nördlich liegenden Staaten der Ostküste sind mit Ausnahme von West-Pennsylvanien und West-Virginien (Gebirgsländer wie Ost-Tennessee) ebenfalls nicht geeignet zu größeren gemeinschaftlichen Niederlassungen, da sie schon zu sehr bevölkert sind und dort das wenige noch unbebaute Land schlecht und sehr theuer ist. Gleiche Verhältnisse finden in Ohio statt: Indiana und Illinois haben noch

große wüste Landstriche, jedoch meistens nur sumpfige Prairien, in denen der deutsche Einwanderer dem größten Elende mit Gewißheit entgegen geht; in Illinois allein liegen noch 17 Millionen Acker Kongreßland, welches kein Mensch kaufen mag, und nicht allein Deutsche, sondern selbst Amerikaner verlassen das Land wieder des ungesunden Klima's wegen. Missouri, das so sehr gerühmte, besteht fast nur aus Prairien, wo der Farmer Bau- und Brennholz mit großen Kosten weit herschaffen muß und wo wohl nur wenige Einwanderer unter besonders günstigen Umständen durch Landbau zu Wohlstand gelangten; denn wenn sie auch mit wenig Mühe viel erbauen, so ist doch der Preis ihrer Erzeugnisse so gering, daß sie nicht einmal den Mais einernten, sondern ihn gleich auf den Feldern von den Schweinen und Kühen abfressen lassen. Der Bushel Mais (⅓ Dresdner Scheffel) wird dort mit 6 bis 10 Cent. verkauft. Michigan ist in seinen südlichen Theilen bereits sehr bevölkert und gutes Land daselbst theuer; die nördlichen Theile aber haben sieben Monate strengen Winter und bestehen laut glaubwürdigen Nachrichten aus unfruchtbaren oder regelmäßigen Ueberschwemmungen ausgesetzten und deswegen sehr ungesundem Lande. Wisconsin ist als sehr fruchtbar geschildert und in den letzten Jahren von deutschen Einwanderern außerordentlich bevölkert worden, so daß das Land in der Nähe von Milwaukie, so wie an allen zugänglichen Punkten schon mit 10 bis 20 Dollars der Acker bezahlt wird und Congreßland zu 1¼ Dollar nur noch in sehr abgelegenen Gegenden der nördlichen County's zu finden ist. Der sehr strenge Winter dauert in den südlichen Theilen sechs Monate, in den nördlichen und nordwestlichen noch länger, was mich gänzlich von der Wahl dieses Staates abschreckte. Die außerordentlichen Anpreisungen desselben sollen, wie mir später in New-York mehrfach versichert wurde, theils durch Landspekulanten hervorgerufen werden, welche in den entlegenen nordwestlichen County's große Strecken besitzen und diese Ländereien nicht verwerthen können, so lange die davorliegenden nicht in Aufnahme kommen, theils aber auch durch Actionaire der nach den nordwestlichen Staaten führenden Dampfschiff- und Eisenbahnlinien, welche allerdings durch zahlreiche Einwanderungen in diesen Staat bedeutend gewinnen. Der neueste Staat Iowa mag ein milderes Klima haben und soll auch sehr fruchtbar sein, er liegt aber so entfernt im Westen und hat nicht allein noch viele Indianer in seinen Grenzen, sondern auch in den anstoßenden und nur von denselben bewohnten Gebieten, so daß ich auch hier eine gemein-

1 *

schaftliche Ansiedlung nicht versuchen möchte. Kentucky und Tennessee sind im Westen längs des Mississippi und auch an den Ufern der größeren Flüsse, Ohio, Tennessee, Cumberland u. s. w., ungemein fruchtbar, aber auch der häufigen Ueberschwemmungen wegen sehr ungesund. Es bleiben nun noch die mittleren und östlichen Theile von Kentucky und Tennessee, sowie der Westen von Pennsylvanien, Virginien und allenfalls von Nord-Karolina, sämmtlich Länder, welche von dem Alleghanygebirge mit seinen verschieden benannten Parallelketten und Ausläufern in der Richtung von Nordost nach Südwest durchzogen werden und welche in ihrem anerkannt schönen und gesunden Klima jedenfalls einen Vorzug vor allen andern Theilen der Vereinigten Staaten besitzen, der sie am passendsten zu solchen gemeinschaftlichen Ansiedlungspunkten für Deutsche erscheinen lassen dürfte.

Von jeher schon für Tennessee als dem Mittelpunkte der ganzen großen Staatenmasse eingenommen, wurde meine Aufmerksamkeit neuerdings auf dieses Land gelenkt durch die Anpreisungen des Herrn Ernst Weigel in Leipzig, welcher als Agent einer Gesellschaft große Landstrecken in Morgan-County in Ost-Tennessee zum Verkauf ausbietet. Da nun die Ländereien dieser Gesellschaft durch Theodor Bromme in seinem „Rathgeber für Auswanderer" (Stuttgart 1846) ebenfalls sehr gerühmt werden, und der ehemalige Pastor Behr in Schwarzenberg in seinen Briefen über die in Morgan-County seit 1844 gegründete deutsche Kolonie Wartburg ganz enthusiastische Berichte giebt, und darin besonders die wunderschöne Gegend, das liebliche, im höchsten Grade gesunde Klima, das herrliche Wasser und den gänzlichen Mangel an Muskitos hervorhebt, auch das Land, wenn auch nicht als Bottomland, doch als sehr bauwürdig und fleißiger Bearbeitung dankbar bezeichnet, so wählte ich für mein Unternehmen diese so sehr empfohlene Gegend.

Ich reiste nun am 11. September vorigen Jahres vom Hause ab, kam am 2. November in New-York, am 4. December in Wartburg an, untersuchte seitdem die ganze Gegend auf das sorgfältigste, unterrichtete mich durch die ausgedehntesten Nachforschungen und Erkundigungen über Landbau, Viehzucht, Absatzwege, klimatische, naturhistorische und gesellschaftliche Verhältnisse, und kam dadurch zu dem Schlusse: daß die obenerwähnten Berichte der Herren Weigel, Bromme und Behr zwar im Allgemeinen richtig sind, dennoch aber manche Unwahrheiten und Ueber-

treibungen enthalten, während sie gerade die wirklichen Vortheile der hiesigen Gegend entweder gar nicht, oder viel zu oberflächlich anführen.

Morgan-County ist ein schönes, fruchtbares Gebirgsland mit vielen Hochebenen und sanften Abhängen, geeignet zu starker Viehzucht, sowie zur Erzeugung aller deutschen Getreidearten und verschiedener Handelsgewächse, welches nur deutscher Bodenbearbeitung bedarf, um den gesegnetsten Gegenden Sachsens an die Seite gestellt zu werden und fleißigen und verständigen Landleuten reichliches Auskommen zu gewähren. Zahlreiche Flüsse und Bäche mit bedeutendem Falle bieten starke Wasserkräfte zur Errichtung von allerhand Mühlen und Fabriken, deren Erzeugnisse auf den in der Nähe befindlichen schiffbaren Strömen und den damit in Verbindung stehenden Eisenbahnen nach allen Seiten ausgeführt werden können. Unübersehbare herrliche Laubholzwaldungen, vermischt mit wenigem Nadelholz, geben Bau- und Nutzhölzer der verschiedensten Art, die Erde birgt an vielen Orten Steinkohlen und Eisenerze und das Klima gehört unstreitig zu den vortrefflichsten und gesündesten der ganzen Vereinigten Staaten.

Diese großen Vorzüge bewegen mich, von der Ost-Tennessee-Kolonisations-Gesellschaft 50,000 Acker rohes Land und von einigen deutschen Farmern zwei herrliche Pläze zu Stadtanlagen zu kaufen, wovon besonders der eine, dicht am Big-Emery-River gelegen, alle Bedingungen in sich vereinigt, die ihn befähigen, in Zukunft der Mittelpunkt einer großen Gewerbthätigkeit zu werden, da dieser Fluß schiffbar zu machen ist und auch jedenfalls auf Staatskosten schiffbar gemacht werden wird, sobald eine gewerbtreibende Stadt und eine dichtere Landbevölkerung an ihm vorhanden ist. Außerdem habe ich mir noch den Verkauf von ungefähr 60,000 Acker sehr guter Privatländereien gesichert und biete nun in nachfolgendem Programme meinen auswanderungslustigen Landsleuten diese ansehnlichen Ländereien zum Verkauf an. Die Bedingungen meines ursprünglichen, noch in Europa entworfenen Planes sind darin bedeutend abgeändert, aber nur zum Vortheile der Einwanderer; namentlich war es mir möglich, die Preise des rohen Landes etwas billiger zu stellen, als ich früher glaubte; doch sind dieselben nur für das Jahr 1849 gültig und steigen im Jahre 1850 wahrscheinlich um mindestens 25 Procente, da die Nachfrage nach Ländereien in hiesiger Gegend täglich stärker wird.

Am Schlusse des Programms gebe ich noch eine Beschreibung meiner Reise nebst Rathschlägen zur Vermeidung mancher Beschwerden und Uebelstände, ferner die sämmtlichen Resultate meiner Beobachtungen und Forschungen, so ins Einzelne gehend, als es mir nur irgend möglich war, und eine Berechnung über den Betrieb einer Farm von 50 Acker durch sieben Jahre, woraus jeder Landwirth ersehen kann, daß bei einiger Vorsicht und Thätigkeit sein gutes Fortkommen in meiner Kolonie gesichert ist.

Programm

zur Errichtung einer deutschen Kolonie

in

Nordamerika,

Staat Tennessee, County-Morgan,

unweit der Kolonie Wartburg,

entworfen und zur Ausführung im Jahre 1849 vorbereitet

von

J. G. Häcker aus Chemnitz.

---

§. 1. Es werden zwei Städte angelegt. Neu-Chemnitz, am rechten Ufer des Big-Emery-River, 12 Meilen von Kingston, 7 Meilen von Wartburg, und Marienberg, 7 Meilen jenseits Wartburg, 11 Meilen von Neu-Chemnitz an der Hauptstraße von Nashville nach Knoxville und Kingston, an dem Punkte, wo die Hauptstraße aus Kentucky nach dem Süden sich mit der Nashvillestraße vereinigt und von letzterer eine Seitenstraße südlich nach Washington am Tennessee River abgeht.

§. 2. Zwischen diesen Städten und um sie herum werden durch zweckmäßige Vertheilung der rohen Ländereien so viele geschlossene Ansiedelungen an einer gemeinschaftlichen Straße nach Art deutscher Gebirgsdörfer angelegt, als der vorhandene Raum gestattet.

§. 3. Die Städte werden in Bauplätze von 4000 bis 12,000 Quadratfuß (1000 bis 3000 Leipziger Quadratellen) abgetheilt, bei 50 Fuß Fronte und entsprechender Tiefe, doch können auch nach Bedürfniß größere oder kleinere Stellen abgelassen werden. Jede 4 Quadratfuß (1 Leipziger Quadratelle) kosten 1 Cent, zahlbar durch Arbeit gegen üblichen Lohn oder baar bei Uebernahme mit einem Rabatt

von 10%. Eckplätze in der Hauptstraße kosten 2 Cent, Mittelplätze in derselben sowie Eckplätze in den übrigen Straßen 1½ Cent für jede 4 Quadratfuß und müssen stets baar bezahlt werden.

§. 4. Zu jedem Bauplatze wird auf Verlangen 1 Acker geklärtes Land außerhalb der Stadt, doch in deren unmittelbarer Nähe, gegeben und dieser nach Qualität mit 10 bis 15 Dollars berechnet, zahlbar durch Arbeit gegen üblichen Lohn.

§. 5. Es werden vom Jahre 1850 an in jeder Stadt mehrere Häuser bereit stehen, welche gegen einen mäßigen Zins vermiethet werden. Dieser Miethzins kann nach Belieben baar oder durch zu leistende Arbeit entrichtet werden.

§. 6. Diese Häuser sind auch billig zu verkaufen und hat der Abmiether stets den Vorkauf. Von dem Kaufpreise ist ⅓ bei Uebernahme baar anzuzahlen, ⅔ können gegen 6% jährliche Zinsen einige Jahre stehen bleiben und nach und nach abgezahlt werden.

§. 7. Es wird vom Unternehmer einer gewissen Anzahl Professionisten, welche sich ankaufen und anbauen, 1 Jahr lang Arbeit gegeben, wenn sie nicht für andere Kolonisten zu arbeiten haben; jedoch nur unter der Bedingung, daß sie sich auch aller Handarbeiten, die nicht in ihr Gewerbe einschlagen, als: Holzfällen, Wegebauen u. s. w. gegen üblichen Tag= oder Akkordlohn unterziehen. Der Lohn für diese Arbeiten wird nicht baar gezahlt, sondern ist aus des Unternehmers Magazin in Lebensmitteln oder andern Magazinartikeln zu entnehmen.

§. 8. Die Zahl der Professionisten wird vorläufig auf 45 bestimmt und zwar: 2 Hufschmiede, 1 Zeugschmied, 6 Zimmerleute, 8 Tischler, wovon einige zugleich Glaser sein müssen, 3 Schuhmacher, 2 Schneider, 1 Schlosser, 1 Gerber, 2 Sattler, 1 Riemer, 1 Böttcher, 4 Stellmacher oder Wagner, 1 Fleischer, 1 Bäcker, 1 Seiler, 1 Seifensieder, 1 Drechsler, 1 Hutmacher, 1 Klempner oder Flaschner, 1 Korbmacher, 1 Gärtner, 1 Nagelschmied, 2 Maurer, 1 Weber, welcher auch färben kann. Diejenigen haben den Vorzug, welche sich zuerst und zwar direkt beim Unternehmer melden.

§. 9. Sobald mehr als 50 Landleute angemeldet sind, wird der Unternehmer gern noch mehreren Professionisten auf erwähnte Art 1 Jahr lang Arbeit garantiren.

§. 10. Die zur Anlage von Dörfern bestimmten Ländereien werden in Farms von 25 bis 100 Acker vermessen und zum Preise von 1 bis 2 Dollars pro Acker, je nach Lage und Bodengüte verkauft.

§. 11. Es werden eine möglichst große Zahl solcher Farms bereit gehalten, auf denen schon ein Blockhaus erbaut und einige Acker geklärt sind und diese Verbesserungen zum Kostenpreise berechnet.

§. 12. Die §. 10 und 11 beschriebenen Farms müssen bei Uebernahme baar bezahlt werden.

§. 13. Es werden auch größere Stücke als 100 Acker abgelassen und unter besonderen Umständen auch Credit gegeben, doch ist dies dann besonderer Verhandlung vorbehalten.

§. 14. Alle zu Hauptverbindungswegen nöthigen Ländereien giebt der Unternehmer unentgeltlich her und läßt auf seine Kosten den darauf befindlichen Wald abräumen, wogegen die Kolonisten gemeinschaftlich dafür zu sorgen haben, daß die Wege fahrbar gemacht und in gutem Stande erhalten werden.

§. 15. Der Unternehmer wird schleunigst dafür sorgen, daß auf allen Hauptwegen über Flüsse und Bäche Brücken oder Fähren hergestellt werden, wobei er jedoch die persönliche Mitwirkung aller Kolonisten in Anspruch nimmt.

§. 16. Der Unternehmer macht sich anheischig, die nöthigen Lebensmittel, sowie Stammvieh rechtzeitig herbeizuschaffen, damit kein Mangel entsteht, wenn größere Transporte Einwanderer auf einmal ankommen.

§. 17. Er wird ferner Veranstaltung treffen, daß in beiden Städten schleunigst Gasthäuser eingerichtet werden, worin später ankommende Einwanderer, gegen billige Vergütung, Wohnung und Beköstigung finden, bis sie ihre eigene Wirthschaft eingerichtet haben.

§. 18. Bereits im Frühjahre 1849 wird bei jeder Stadt eine Mahl- und Sägemühle auf Kosten des Unternehmers erbaut; auch sind noch hinlängliche Wasserkräfte vorhanden, um in unmittelbarer Nähe der entfernteren Dörfer dergleichen Mühlen anzulegen.

§. 19. So bald als möglich, spätestens im Jahre 1850, wird in jeder Stadt eine Handlung (Store) errichtet, worin die Kolonisten alle ihre Bedürfnisse billig kaufen können. Diese Handlungen werden in der Folge alle landwirthschaftlichen Produkte nicht allein in Zahlung annehmen, sondern nach Bedarf auch baar ankaufen. Ganz besonders soll Tabak, Schafwolle und Seide aufgekauft und ausgeführt werden, um zum Anbau und zur Erzeugung dieser für den Landwirth lohnenden Handelsartikel aufzumuntern.

§. 20. Es wird in jeder Stadt ein deutscher Arzt angestellt, welcher jedem Kolonisten in Städten und Dörfern im ersten Jahre seines

Hierseins unentgeldlich ärztlichen Beistand zu leisten und Medikamente zu verabreichen hat. Chirurgische Operationen und Geburtshülfe sind hiervon ausgeschlossen. Wenn die Kolonisten sich anderer als der angestellten Aerzte bedienen, so haben sie diese selbst zu bezahlen.

§. 21. Es wird sofort in jeder Stadt ein Schullehrer angestellt, welcher bis Ende des Jahres 1850 vom Unternehmer besoldet wird. Bis zu dieser Zeit haben alle Kinder der rechts vom Obeds River wohnenden Kolonisten in Neu-Chemnitz und alle Kinder der links von diesem Flusse wohnenden Kolonisten in Marienberg freien Schulunterricht.

§. 22. Nach dieser Zeit werden mehrere Schulgemeinden gebildet, welche jede ein Schulhaus zu bauen und ihren Lehrer selbst zu besolden hat; doch wird der Unternehmer jeder solchen Gemeinde, dafern sie wenigstens 20 Familien zählt, 10 Acker Land unentgeldlich zum Eigenthum übergeben, welche dem jedesmaligen Schullehrer als Besoldungsbeitrag zur Benutzung zu überlassen sind.

§. 23. Der Unternehmer errichtet im Jahre 1850 in jeder Stadt ein Farmhaus, welches einstweilen als protestantische Kirche und als Schulhaus dient. Nach Verlauf von fünf Jahren werden diese Gebäude zu andern Zwecken verwendet und jede Gemeinde hat für Erbauung von Kirchen und Schulhäusern selbst zu sorgen.

§. 24. Zur Kirchengemeinde von Neu-Chemnitz gehören auch die Bewohner der Dörfer rechts vom Obeds River, zur Kirchengemeinde von Marienberg alle Farmen auf der linken Seite dieses Flusses.

§. 25. Jede Stadt erhält vom Unternehmer unentgeldlich zum Eigenthum 25 Acker rohes Land, welche dem jedesmaligen protestantischen Prediger zur Benutzung zu überlassen sind.

§. 26. Es wird vorläufig nur ein protestantischer Prediger angestellt, welcher den Gottesdienst in beiden Gemeinden abwechselnd zu besorgen hat. Diesen Prediger besoldet der Stifter der Kolonie zwei Jahre lang für Abhaltung des Gottesdienstes, für Taufen, dafern diese des Sonntags nach dem Gottesdienste stattfinden, und für Begleitung der Leichen. Taufen außer dieser Zeit, sowie Trauungen, sind dem Prediger von den betreffenden Kolonisten besonders zu zahlen.

§. 27. Nach Verlauf von zwei Jahren hat jede Kirchengemeinde selbst einen Prediger zu wählen und zu besolden.

§. 28. Der Unternehmer wird jeder der beiden Kirchengemeinden unentgeldlich einen geeigneten Platz zur Erbauung eines allgemeinen Krankenhauses übergeben.

§. 29. Diese Krankenhäuser werden vom Stifter der Kolonie nach und nach mit 500 Acker Land jedes beschenkt, über deren Verwendung er bei Ausfertigung der Schenkungsurkunden die weiteren Bestimmungen treffen wird.

§. 30. Sobald die sämmtlichen zur Gründung der Kolonie bestimmten 50,000 Acker Land verkauft sind, bekommt die Stadt Neu-Chemnitz vom Stifter desselben abermals 1000 Acker Land unentgeldlich als Eigenthum, mit der Bedingung, daß die Stadtgemeinde dann sofort eine Gewerbschule gründet und den Ertrag dieser 1000 Acker, welche in kleinen Theilen zu verpachten sind, zur Anschaffung von Lehrmitteln für diese Schule verwendet.

§. 31. Der Unternehmer überläßt den verschiedenen zu gründenden Gemeinden die Verwaltung ihrer Angelegenheiten, so weit ihnen diese nach amerikanischen Gesetzen zukommt, und macht überhaupt nur auf die Rechte eines einfachen Gemeindemitgliedes Anspruch.

§. 32. Der Unternehmer macht es den neu entstehenden Kirchen- und Schulgemeinden zur Pflicht, alle nach dem Jahre 1850 ankommende Kolonisten, welche direkt von ihm Stadtplätze oder Landgrundstücke kaufen, ein Jahr lang von allen Beiträgen für die Schule und zwei Jahre lang von allen Beiträgen für den Prediger frei zu lassen.

§. 33. Alle Einwanderer, welche zwar im Bezirke der neuen Kolonie sich niederlassen, aber nicht unmittelbar vom Unternehmer Land kaufen, sind von den in den §§. 16, 19, 20, 21 und 26 zugesicherten Begünstigungen ausgeschlossen. Sie haben vom Tage ihrer Ankunft an Schulgelder und Kirchenbeiträge zu entrichten, wenn sie die Schulen und Kirchen der Kolonie benutzen wollen, und in Krankheitsfällen den Arzt selbst zu honoriren; auch haben sie keinen Anspruch auf etwa zu begründende Freistellen in den Krankenhäusern, oder in der §. 30 erwähnten Gewerbeschule.

§. 31. Es bleibt jedem Auswanderer freigestellt, einzeln über New-York, Charleston und Wartburg, oder über New-Orleans, Nashville und Wartburg abzureisen und sich das Land erst zu besehen und die von dem Unternehmer getroffenen Einrichtungen zu prüfen, ehe er sich ankauft, in welchem Falle in Europa weder eine Anzahlung zu leisten noch sonst eine Verbindlichkeit einzugehen ist. Die Reisekosten betragen auf der ersten Tour, laut im Anhange befindlicher Specificatien, für eine erwachsene Person mit 20 Kubikfuß Gepäck 90 bis 100 Thaler sächsisch Courant.

§. 35. Um diese Reisekosten zu mindern, erbietet sich der Unternehmer, in Bremen oder Hamburg ganze Schiffe zur direkten Fahrt nach Charleston zu miethen, so oft mindestens 100 Personen zu gemeinschaftlicher Abreise entschlossen sind, und Alles, was zu einer solchen Reise nöthig, zu besorgen, ohne für seine Bemühungen eine Vergütung in Anspruch zu nehmen. Er wird auch solche Gesellschaften entweder selbst oder durch einen Bevollmächtigten bei der Einschiffung berathen, in Charleston empfangen und nach Neu-Chemnitz befördern, damit überall unnöthiger Aufenthalt und Kosten vermieden werden. Auf diese Weise dürfte für jede Person eine Ersparniß von mindestens 20 bis 30 Thalern eintreten. Das Nähere hierüber wird durch besondere Programme bekannt gemacht.

§. 36. Jeder, der eine solche Reise mitmachen will, hat schon in Europa, außer den Reisekosten, eine Anzahlung von 5 Thalern sächsisch Courant pro Kopf auf die zu erkaufenden Ländereien zu leisten. Wenn nach Ankunft in Amerika ein Ankauf nicht erfolgt, so werden diese 5 Thaler nicht zurückerstattet, sondern verbleiben dem Unternehmer für seine Bemühungen und Auslagen bei Vermittelung der billigern Ueberfahrt.

§. 37. Auswanderungslustige, welche geneigt sind, sich in der neuen Kolonie anzusiedeln und die Vermittelung des Unternehmers zu gemeinschaftlicher Ueberfahrt benutzen wollen, haben sich mündlich oder in portofreien Briefen vorläufig bei F. G. Häcker in Chemnitz, oder bei einem der durch verschiedene Zeitschriften namhaft gemachten Agenten zu melden und dabei anzugeben, ob sie Landwirthschaft oder ein städtisches Gewerbe treiben wollen und welches, worauf ihnen weitere Mittheilungen gemacht werden.

§. 38. Der Unternehmer, welcher im April 1849 nach Europa zurückkehrte, ist gern erbötig, denen, welche sich zur Theilnahme anmelden, auf Verlangen mündlichen Bericht zu erstatten, wobei er zugleich die Beweise vorlegen wird, daß er die ausgebotenen Ländereien wirklich und rechtskräftig besitzt. Sollten Auswanderungsvereine oder Behörden solchen mündlichen Bericht wünschen, so wird er denselben ebenfalls gern geben, beansprucht aber dann Ersatz seiner Reisekosten, wenn hierauf nicht der Anschluß einer entsprechenden Anzahl Kolonisten erfolgt.

Beschreibung
meiner Reise von Leipzig nach Wartburg.

Am 13. September 1848 reiste ich auf der Eisenbahn von Leipzig nach Bremen, wofür ich 4 Thlr. 12½ Ngr. zahlte, Ueberfracht hatte ich nicht. Abgang in Leipzig früh 6 Uhr, Ankunft in Bremen Abends 9 Uhr. Meine Zehrungskosten betrugen 15 Ngr.

In Bremen ging ich in ein sehr kleines Gasthaus, zur Stadt Wilster auf dem Neumarkte in der Neustadt, Besitzer Herr Wessels, wo ich für Logis, Frühstück, Mittag- und Abendessen zusammen für jeden Tag 36 Groot (17 Ngr.) zahlte. Zum Frühstück gab es Kaffee mit Weißbrod, Mittags Suppe, zweierlei Fleisch, Gemüse, Compots, Kartoffeln, Butter und Käse; Abends Suppe, Beefsteak oder Bratwurst, Compot, Kartoffeln, Butter und Käse. Bedienung sehr aufmerksam und freundlich; die Wirthsleute, deren Zeit nicht durch viele Gäste in Anspruch genommen war, zu jeder Auskunftsertheilung stets bereit. Ich kann dieses Gasthaus mit vollem Rechte empfehlen, es können jedoch nur höchstens 10 Personen auf einmal dort logiren, bei einer größeren Zahl muß Unbequemlichkeit eintreten. Nächst diesem habe ich von meinen Reisegefährten den Bairischen Hof, dicht am Bahnhofe, als sehr gut rühmen hören und diese Empfehlung auf meiner Rückreise, wo ich in diesem Gasthause übernachtete, bestätigt gefunden; man zahlt dort nur 15 Ngr. für den Tag. In Stadt Baltimore, wo man ebenfalls 15 Ngr. täglich zahlt, soll sich stets eine so große Masse Auswanderer zusammendrängen, daß dadurch der Aufenthalt für einen an Ordnung und Reinlichkeit gewöhnten Mann sehr beschwerlich wird. Noch billigere Gasthöfe habe ich nicht erfragen können.

Ich hatte meine Ueberfahrt am 29. August in Leipzig bei Herrn Ernst Weigel für 35 Thaler Gold im Zwischendeck bedungen, derselbe sagte mir aber am 12. September unaufgefordert, ich würde 3 Thaler weniger zu zahlen haben, da inzwischen die Passagepreise abgeschlagen

seien, ich sollte mich deshalb bei Herrn Wichelhausen und Comp. in Bremen auf ihn beziehen. Diese Herren schlugen jedoch mein Verlangen nach Preisermäßigung kurz ab und meinten, ich hätte Contract auf 35 Thaler und müßte diese Summe zahlen, ihr Agent in Leipzig hätte gar nichts zu bestimmen, sondern sich streng an ihre Instruktionen zu halten. Im Gegensatze zu diesem Verfahren hörte ich von einigen Auswanderern aus Stuttgart, welche durch den dortigen Centralverein bei Herrn Traub in Bremen engagirt waren, in Stuttgart aber bereits das volle Passagegeld bezahlt hatten, daß dieser Mäkler den erwähnten Abschlag von 3 Thalern à Person unaufgefordert zurückgezahlt hatte. Ueberhaupt war das ganze Benehmen der Herren Wichelhausen und Comp. gegen mich und die Menge der mit mir zugleich anwesenden Auswanderer von der Art, daß ich nie wieder mit diesen Herren etwas zu thun haben mag. Alle Deutsche, die ich später in Amerika traf, waren mit mir gleicher Meinung; wogegen alle durch Herrn Traub expedirte Auswanderer nicht genug die Freundlichkeit und Reellität rühmen konnten, mit der sie von ihm bedient worden waren.

Bereits in Leipzig wollte ich für mich und meine vier Begleiter Steerage oder zweite Kajüte nehmen, welche nach Herrn Weigels Versicherung, in abgesperrten und verschließbaren Kammern für 6 bis 10 Personen, die um den Mittelmast herum im Zwischendeck angebracht wären, bestehen sollten, worin man nicht allein mehr Platz hätte, wie im Zwischendecke, sondern sich auch ungesehen von andern Passagieren aus- und ankleiden könne und außerdem mehr Kost bekäme als die Zwischendeck-Passagiere; da aber Herr Weigel bedeutend mehr als im Zwischendecke verlangte, so unterließ ich es. In Bremen hörte ich nun, daß man für Steerage nur 5 Thaler mehr zu zahlen hätte, aber auch keine bessere Kost bekäme als im Zwischendeck, daß aber die vermehrten Bequemlichkeiten gern den höheren Preis werth wären, weshalb ich nun noch Steerage nahm. Als ich unsern Aufnahmeschein besah, stand darauf: „Schein zur Aufnahme in die Abkleidungen des Zwischendecks". Auf Anrathen eines alten Seemannes verlangte ich von Wichelhausen und Comp. einen andern Schein mit Steerage bezeichnet, wurde jedoch von Herrn Wichelhausen selbst bedeutet: Steerage wäre englisch und hieße auf deutsch Abkleidung, worauf er sich herumdrehte, mich stehen ließ und nicht weiter anhörte. Ein anderer Auswanderer, ein gewisser Oekonom Otto aus der Gegend von Wurzen, wollte für drei erwachsene Personen und zwei Kinder von 2½ und

1¼ Jahren bei Herrn Weigel in Leipzig à Person 36 Thaler Gold für Zwischendeck und dann noch auf besonderes Zureden 15 Thaler à Person für Steerage bezahlt haben, also 255 Thaler Gold. Dieser Mann war wüthend, daß er so viel mehr gezahlt hatte als Andere; erlangte jedoch durchaus keine Rückzahlung, aber auch keine Begünstigung auf dem Schiffe. Noch andere Auswanderer, welche nach Bremen gereist waren, ohne vorher Plätze zu belegen, wollten dort sofort auf unserem Schiffe Zwischendeckplätze für 30 und 28 Thaler, ja einer sogar nur für 26 Thaler bekommen haben. Während meines Aufenthaltes in Bremerhaven habe ich mehreremale selbst mit angehört, wie durch Mäkler Plätze nach New-Orleans für 20 Thaler ausgeboten wurden.

Von Chemnitz aus reisten mit mir eine Frau mit vier Kindern, deren Mann bereits in Cleveland am Eriesee arbeitete, ein Mädchen, welche ihr Bräutigam in Toledo, Staat Ohio, erwartete, und eine alte Frau, welche ihrer verwittweten, früher nach Amerika gegangenen Tochter drei Kinder nach Milwaukie in Wisconsin nachführte. Die ersteren waren bei Herrn Weigel zum 1. September auf das Schiff Minna, die letzteren zum 15. September ohne Bestimmung des Schiffes eingeschrieben, erhielten aber keine Ordre zur Abreise und kamen deshalb zu mir, um sich Rath zu holen und mich zu bitten, Sorge dafür zu tragen, daß sie mit mir auf ein und dasselbe Schiff kämen. Ich schrieb sogleich an Hern Weigel und erhielt von ihm schriftlich und später mündlich die Versicherung, daß er das Nöthige besorgt habe, um den Wunsch dieser Frauen zu erfüllen. In Bremen angekommen, wird diesen jedoch von Wichelhausen und Comp. erklärt, sie könnten erst in vierzehn Tagen fort, da die nach New-York in Ladung liegenden Schiffe bereits besetzt wären; sie möchten deshalb mit nach Philadelphia gehen, was ganz gleichviel wäre, denn sie hätten dann nur auf der Eisenbahn nach New-York zu fahren, wofür sie nicht mehr als ½ Dollar à Person zahlen dürften. Dies war aber eine grobe Unwahrheit, denn der geringste Fahrpreis auf genannter Eisenbahn beträgt 2¼ Dollar à Person mit 50 Pfund Gepäck frei, wobei noch für Transport des Gepäcks nach und von der Eisenbahn, sowie für unnöthigen Aufenthalt eine Menge Kosten entstehen. Nun hatten diese 10 Personen zusammen ohngefähr 20 Centner Gepäck, mußten also noch für 15 Centner Ueberfracht bezahlen. Ich habe sie vor meiner Abreise in Bremerhaven einigemal getroffen und dringend gewarnt, sich doch nicht nach Philadelphia schicken zu lassen, sondern auf ihrem guten Rechte zu bestehen

und von Wichelhausen und Comp. Beförderung nach New-York und bis zur Einschiffung Kost und Logis zu verlangen; sie haben sich aber überreden lassen und gingen am 20. September wohlgemuth nach Philadelphia, obgleich sie mit Reisegeld ziemlich dürftig versehen zu sein schienen, während ihnen doch durch diesen Umweg eine Mehrausgabe von mindestens 60 Thalern Courant verursacht wurde.

In Leipzig hatte ich mein Silbergeld in Zwanzigfrankenstücke umgewechselt und 5 Thlr. 16 Ngr. pro Stück gegeben, Wichelhausen und Comp. nahmen diese Stücke bei Zahlung der Fracht nur zu 5 Thlr. 10 Ngr., während ich sie anderwärts mit 5 Thlr. 15 Ngr., auf dem Dampfschiffe nach Bremerhaven sogar mit 5 Thlr. 17 Ngr. ausgab.

Unser an Wichelhausen und Comp. vorausgeschicktes Gepäck mußten wir aus ihrem Magazine selbst abholen, selbst auf- und abladen, die Fuhre an den Wasserkahn und die Einschiffung auf denselben selbst besorgen und bezahlen. Letzteres verursachte für 12 Colli, im Gewichte von 24 Centnern, eine Ausgabe von 1 Thlr. 17 Ngr. Passagiere, welche durch andere Mäkler befördert wurden, durften sich um derartiges Gepäck nicht bekümmern, sondern erhielten dasselbe an das Schiff geliefert.

In Bremen kaufte ich Tabak und Cigarren, ein Fäßchen Cognac, einige Flaschen Madeira, eine Flasche Essig, einen Schinken, einige marinirte Häringe, frische Aepfel und frisches Brod. Frische Butter, getrocknete Aepfel, Senfgurken, Preiselbeeren, Zucker, Kaffee, Thee, Zimmet und Muskatnüsse hatte ich von Haus aus mitgenommen; die letzteren Gegenstände kauft man in Bremen ebenfalls billiger. Nach Verlauf von vierzehn Tagen wurde auf dem Schiffe starker Handel mit dergleichen Vorräthen getrieben. Auf Rum, Cognac, Wein und Zucker wurden 100% Nutzen und darüber geboten, meine letzte Flasche Madeira wurde mir nach fünf Wochen sogar mit 300% Nutzen abgedrungen und für frische Aepfel wäre nach einigen Wochen jeder geforderte Preis gezahlt worden, so sehr sehnte sich Jedermann nach frischer Kost.

Am 15. September empfingen wir Ordre, uns mit unserem Gepäcke auf einen Weserkahn einzuschiffen. Für die Fahrt auf der Weser nach Bremerhaven, 7 Meilen, wird nichts bezahlt, doch mußten diejenigen, welche die unentgeldliche Fahrt benutzten, zwei Nächte in diesem Kahne, auf Kisten und Fässern liegend, zubringen, da die Einladung des Gepäcks erst am 16. früh beendet wurde und der Kahn erst am 17. Nachmittags im Hafen anlangte.

Wir fuhren den 17. früh 6 Uhr mit dem Dampfschiffe nach Bremerhaven, wofür à Person 36 Groot (17 Ngr.) bezahlt wird. Um 10 Uhr angelangt, gingen wir sogleich auf unser Schiff, Elise, Kapitain Koch, ein schönes Bremer Fregattschiff von 250 Last, welches nach amerikanischem Gesetze 177 Passagiere im Zwischendeck überfahren darf, und erhielten sogleich Beköstigung, welche auch schon am vorigen Tage gegeben worden war.

Mit unserem Steerage waren wir arg getäuscht. Es war dies nichts weiter als eine Abgrenzung der ersten zwölf Kojen im Zwischendecke, durch einige, in Zwischenräumen von ½ Fuß lose angenagelte Bretter, mit einem besondern Eingange. Dieser Eingang war allerdings 5 Thaler mehr werth, denn wir hatten einen Ueberbau über unserer Luke, wo man aufrecht herausgehen konnte; während über der Hauptluke, als dem Eingange zum Zwischendeck, das große Boot und darüber erst ein ähnlicher Ueberbau angebracht war, so daß die Passagiere auf Händen und Füßen unter dem Boote heraus- und hineinkriechen mußten, was bei 140 Personen häufig zu ärgerlichen, aber eben so oft auch zu lächerlichen Scenen Veranlassung gab; zumal wenn Speisen oder Getränke gefaßt wurden.

Die zwölf Kojen des Steerage bestanden aus den schlechtesten Plätzen des Zwischendecks, weil sie sich zunächst des Vordermastes befanden, wo die Schwankungen des Schiffes von vorne nach hinten am meisten empfunden werden. Ferner wurden wir dadurch sehr belästigt, daß dem Vordermast gegenüber an unseren Kojen zwei Kammern angebracht waren, worin Steinkohlen, Kartoffeln, Möhren und Rüben aufbewahrt wurden, daß zwischen diesen Kammern und dem Maste Vorräthe von Tauen, Segeln u. s. w. aufgehäuft waren und in dem Raume unter uns das meiste Brennholz, Trinkwasser und Schiffsbrod sich befand. Dadurch fanden die Matrosen und der Koch mit seinen Gehülfen Gelegenheit, sich täglich sehr oft, meistens Stunden lang, unten aufzuhalten und uns Passagieren den ohnehin geringen Platz zu versperren, was besonders bei schlechtem Wetter der Fall war, wo von uns auch Niemand auf das Verdeck mochte. Bei Untersuchung des Schiffes durch die Bremer Kommission hörte ich zwar, wie der Obersteuermann versicherte, das ganze Tau- und Segelwerk, sowie Alles, was den Passagieren im Wege läge, würde sogleich bei Abfahrt weggeräumt und wir würden den ganzen Raum für uns und unser Gepäck frei bekommen, allein es wurden nur einige Globen sogleich weggenommen, Taue, Segel, Theerkannen u. s. w. wurden erst am

2

28. Tage unserer Reise in den untern Raum geschafft, Kohlen- und Kartoffelkammern aber erst am 30. Reisetage gänzlich geräumt und der leere Platz zu unserer Verfügung gestellt; letzterer mußte schon am nächsten Tage zum Wochenbette für eine Jüdin eingerichtet werden, welche am 31. October früh 1 Uhr von einem Knaben entbunden wurde. Nach später eingezogenen Erkundigungen ist das Steerage nicht auf allen Schiffen so schlecht wie auf unserem; auf einem, dessen Name mir entfallen ist, soll es ein Salon mit Tafeln und Bänken und vielen andern Bequemlichkeiten gewesen sein, also wirklich zweite Kajüte, wo die Passagiere von Niemandem belästigt wurden.

An Kost bekamen wir früh Kaffee oder heißes Wasser, Abends Thee oder heißes Wasser, Mittags Fleisch und Gemüse und zwar in jeder Woche viermal gesalzenes Rindfleisch, zweimal gesalzenes Schweinefleisch und einmal einen halben Häring, dann einmal Reis mit Mehlklößen, zweimal Graupen, zweimal Erbsen, einmal weiße Bohnen, einmal Sauerkraut. Außerdem wurde täglich Trinkwasser, jeden zweiten Tag Brod (Schiffszwieback) und jede Woche einmal Butter geliefert. Salz konnte man auf Verlangen zu jeder Zeit bekommen. Wichelhausen und Comp. erwähnen in ihren Ueberfahrtsbedingungen Grütze, Mehlspeisen, Kartoffeln und Pflaumen; darauf bemerke ich, daß Grütze nie gegeben wurde, Mehlspeisen nur aus oben erwähnten Klößen aus Mehl und Wasser bestanden, wovon in der Regel 1 Stück à Person gegeben wurde, Pflaumen nur einige Male in den Graupen 5 bis 8 Stück für 3 Personen herumgeschwommen haben, und geschälte Kartoffeln fast in jedem Gemüse, aber stets so wenig waren, daß ich für 3 Personen nie mehr als 4 bis 8 zerschnittene Stücke bekommen habe, während die Matrosen dieselben in Menge erhielten.

In den ersten Tagen wollten viele Passagiere sich bei dem Koche einschmeicheln und gaben ihm Spirituosen zu trinken; er war deshalb den ganzen Tag betrunken, kochte ein erbärmliches Essen und stürzte mehrmals aus der Küche heraus. Er bekam hierauf drei Tage Arrest und blieb noch acht Tage krank, während welcher Zeit ein Matrose und ein Passagier recht gut kochten. Nach seiner Genesung lieferte auch er leidliche Speisen. Ueberhaupt habe ich die Schiffskost nicht so schlecht gefunden, als sie von vielen Seiten beschrieben wird, und ich bin damit zufrieden gewesen, obgleich ich an ganz andere Kost gewöhnt war. Ich würde annehmen, daß sich unser Schiff in dieser Hinsicht vor andern ausgezeichnet hätte, wenn nicht auch bei uns von vielen Passagieren unausgesetzt über ungenießbare Kost geschimpft worden

wäre, und wohl gerade von Solchen, die früher auch nicht besser gegessen haben und vielleicht manchmal noch Gott danken würden, wenn sie sich immer solche Kost erzeugen könnten. Aber auch Leute, von denen man mehr Verstand voraussetzen durfte, und die doch gewiß wissen mußten, welche Kost im Zwischendeck zu erwarten war, haben Tag für Tag raisonnirt, und von ihnen sind freilich Berichte zu erwarten, die von meinen Ansichten sehr abweichen dürften. Der Schiffszwieback ist das Einzige, was vielen ungenießbar sein mag, man kann ihn aber entbehren, wenn man sich von Haus aus mit selbst gefertigtem Zwiebacke von Roggenbrod versieht, oder in Bremen weißen Schiffszwieback einkauft, was ich leider unterlassen hatte. Bei der Vertheilung der Speisen zeigte der Koch viel Partheilichkeit; es ist dies ein Uebelstand, der wohl kaum abzustellen sein dürfte, da es auf jedem Schiffe Passagiere geben wird, die es verstehen, sich mit dem Koche auf irgend eine Weise zu befreunden. Uebrigens hat es nie an Speise gemangelt, im Gegentheil ist sehr viel über Bord geworfen worden, nicht etwa weil sie zu schlecht war, denn auch die ärgsten Raisonneurs verzehrten sehr eifrig ihre Portionen, sondern weil einzelne Personen oft zu viel bekamen.

Unsere Gesellschaft war sehr gemischt. Es waren darunter viele junge Leute: Handlungsdiener, Maler, Musiker, Architekten, Bergleute, Maschinenbauer, vielerlei Professionisten, Landleute, ein 78 Jahre alter Mann, ferner ein sehr alter bairischer Bauer, einige Judenfamilien u. s. w. nebst einer mäßigen Anzahl Kinder. Ein großer Theil der ledigen Männer verbrachte die ersten Tage mit der sehr edeln Beschäftigung, die mitgenommenen Vorräthe an Rum und Wein möglichst schnell zu vertilgen, wodurch für ruhige Passagiere sehr viel Belästigung entstand. Am dritten Tage wagte ich es einmal einer groben Ungezogenheit entgegenzutreten, da hatte ich aber sogleich eine Menge halbtrunkener Menschen auf dem Halse, die alle nicht wußten, worum es sich handelte und mit Geschrei und Gestikulationen ihrem ganztrunkenen Kumpane beistanden. Dieser Vorfall machte mir noch einige Tage viele Noth; da ich mich jedoch nicht mehr um dieses wüste Treiben kümmerte und die Spirituosen bald aufgezehrt waren, so wurden die Leutchen wieder vernünftiger.

Wir waren noch nicht aus der Weser, so begann schon die Seekrankheit. Fast alle Frauenzimmer wurden zuerst davon befallen. Am zweiten und dritten Tage gab es ein ziemlich allgemeines Erbrechen, welches sich bald etwas legte, aber wieder zunahm, als wir

3*

in den atlantischen Ocean kamen. Ich blieb zehn Tage verschont, am eilften bekam ich sie aber auch und wurde bis zum Ende der Reise nicht wieder gesund, wodurch ich einen guten Theil meiner Korpulenz einbüßte.

Mit unserer Schiffsmannschaft ließ es sich leidlich leben. Ich bin den Matrosen bei ihren Arbeiten aus dem Wege gegangen, habe mich dann und wann zutraulich mit ihnen unterhalten, einen derben Spaß nicht übel genommen, bin auf einen Schluck Rum und eine Cigarre nicht interessirt gewesen und habe, wo es nöthig war, mit an den Tauen zugegriffen; dadurch bin ich allen Unannehmlichkeiten mit ihnen entgangen und habe noch manche kleine Begünstigung erlangt, wogegen Passagiere mehrmals Grobheiten, einer sogar eine derbe Ohrfeige erhielt. Nur mit dem Koche hatte ich einen Zwist. Dieser wollte nämlich in Folge der erwähnten Ungezogenheit eines Betrunkenen den sämmtlichen 36 Steerage-Passagieren kein Fleisch geben, und ich ließ mich verleiten, darüber bei dem Kapitain Beschwerde zu führen. Nun mußte zwar der Koch sofort Fleisch herausgeben, ich erhielt aber vom Kapitain eine Antwort, die mir nur zu deutlich sagte, daß ihm an dergleichen Anklagen nichts gelegen sei. Auch der erste Steuermann ließ mich meine Voreiligkeit fühlen.

Die Seereise selbst bietet kein besonderes Interesse dar. Wir gingen am 20. September Abends aus dem Hafen auf die Rhede, am 21. früh 6 Uhr ging es mit frischem Südostwinde die Weser hinunter, um 11 Uhr waren wir bereits in der Nordsee, und da der Wind nach Ost herumging, so sahen wir schon am 23. früh 4 Uhr die Leuchtthürme von Dover und hatten am 26. bereits den Kanal hinter uns. Auf neun Tage sehr guten Wind folgte ein Tag Windstille und dann unausgesetzt Westwind, so daß fast der ganze Weg lavirt werden mußte. Nur dann und wann ging der Wind auf einige Stunden nach Süd oder Nord, war dann aber gewöhnlich so schwach, daß wir nur wenig vorwärts kamen. Dreimal hatten wir Gewitter mit heftigem, aber nur kurzem Sturme. Ein anderer Sturm dauerte drei Tage, steigerte sich am dritten Tage Abends von 5 bis 7 Uhr zum Orkane, wo das Wasser fortwährend über das Schiff strömte und die Wellen einige Mal mit solcher Gewalt darüber stürzten, daß wir Alle glaubten, es wäre in Stücke zerschlagen und müsse untergehen. Dieser Sturm ging merkwürdigerweise mitten in der Nacht plötzlich in Windstille über, ohne vorher schwächer geworden zu sein, wir befanden uns während desselben auf den Neufoundlandbänken. Wenige Tage

vor unserer Ankunft in New-York hatten wir nochmals Sturm, der 24 Stunden dauerte und uns ein gutes Stück nach Süden und in den Golfstrom verschlug. Wir trafen an diesem Tage ein dreimastiges Schiff, welchem Haupt- und Hintermast zur Hälfte abgebrochen und mit den daran befindlichen Segeln über Bord gegangen waren; auch viele Planken sahen wir am folgenden Tage schwimmen, jedenfalls Schiffstrümmer. Früher begegneten uns zwei ziemlich große Wallfische.

Am 1. November Nachmittags kam ein Lootse an Bord, Abends sahen wir Land in Gestalt eines dunkeln Streifens am Horizonte und gleich darauf fünf am Eingange der Staaten-Bai stehende Leuchtthürme. Wir konnten jedoch nicht in die Bai einlaufen, da uns der Wind sturmähnlich entgegen kam, und mußten deshalb Anker werfen. Am 2. November, dem 43sten Tage unserer Reise, sahen wir bei Tagesanbruch das ersehnte Land in der Entfernung einer halben Stunde vor uns liegen. Links Sandy Hook, eine gefährliche Sandbank an der Küste von New-Jersey, rechts lang ausgedehnt die zum Staate New-York gehörige Insel Long-Island, im Hintergrunde der Bai Staaten-Island. Die ganze Küste war mit weißen Landhäusern und buntschillernden Bäumen besäet und Hunderte von Schiffen segelten nach allen Richtungen. Da der Wind noch eben so stand, wie am vorigen Abend, so mußte lavirt werden, und wir haben bis zur Quarantaine, etwa 3½ geographische Meilen entfernt, acht Stunden gebraucht, wobei das Schiff wohl vierzig Mal gewendet wurde. Das herrlichste Wetter begünstigte unsere Anfahrt und erlaubte uns die entzückende, stets wechselnde Aussicht in vollen Zügen zu genießen.

An der Quarantaine kam eine ärztliche Kommission an Bord, um das Schiff zu untersuchen. Alle Passagiere mußten auf das Verdeck kommen und zwei Mal bei diesen Herren vorbeipassiren, dann gingen sie ins Zwischendeck, wo sie Alles sauber fanden, da am Tage vorher auf das sorgfältigste gereinigt worden war. Die ganze Untersuchung ging so in einer Viertelstunde zu Ende. Unterdessen wurde der Wind günstiger und nun flogen wir mit vollen Segeln nach New-York hinauf und legten nach Verlauf einer halben Stunde im Hafen an. Mit dem Anblick des Landes war meine so heftige Seekrankheit weg und voller Appetit zum Essen und Trinken vorhanden.

Noch hatten die Aerzte das Schiff nicht verlassen, als schon Böte mit Gastwirthen oder deren Agenten anlangten, die sogleich die Einwanderer mit Anerbietungen bestürmten. Ein Kajüt-Passagier warnte

vor diesen Leuten, welches einer von ihnen hörte und mit Drohungen erwiederte. Dieser Passagier wurde zwei Tage nachher spät Abends in New-York am Hafen so sehr durchgeprügelt, daß er einige Tage das Bett hüten mußte, was jedenfalls eine Folge seiner Einmischung in die Angelegenheiten der Herren Wirthe war.

Ich hatte mir vorgenommen, wegen Logis in New-York den Agenten der deutschen Gesellschaft, Herrn Allstedt, um Rath zu fragen, welcher nach dem Programme dieser Gesellschaft vor allen Andern jedes Schiff besuchen und die Einwanderer mit gutem Rathe unterstützen soll; ich habe ihn jedoch nicht zu sehen bekommen. Dagegen wurden ungefähr eine Stunde nach unserer Ankunft im Hafen Karten dieses Agenten vertheilt, auf welchen er seine Dienste unentgeldlich anbietet. Da es zu spät war, seine Wohnung noch aufzusuchen, so akkordirte ich mit dem Wirthe vom Deutschen Hause (Greenwich-Street, Ecke von Cedar-Street, Nr. 136) ein Zimmer für drei Personen nebst Beköstigung auf einen Tag zu ½ Dollar à Person.

Kaum hatte das Schiff im Hafen angelegt, als dasselbe mit Obstverkäufern überschwemmt wurde, welche mit merkwürdiger Unverschämtheit unter Deck gingen und selbst in die Kojen eindrangen. Diese Leute kaufen zugleich die gebrauchten Eß- und Trinkgeschirre, Glasflaschen, Fäßchen, abgesetzte Kleider, Matratzen u. s. w., geben aber dafür meist nur Obst zu enormen Preisen und ein wenig Geld; sie sind so aufdringlich, daß man auf alle Sachen, die nicht in Kisten verpackt sind, sehr Obacht haben muß, wenn man nicht bestohlen werden will.

Um 5 Uhr verließ ich das Schiff und nahm zwei Doppelflinten, so wie einiges kleine Gepäck sogleich mit, worüber Niemand etwas sagte. Die Verabfolgung des größeren Gepäckes, sowie die Untersuchung durch den Zollbeamten begann am nächsten Tage früh 9 Uhr. Diese Untersuchung, welche gleich auf dem Schiffe vorgenommen wurde, war sehr oberflächlich. Die Kisten wurden geöffnet, die obern Sachen etwas besichtigt und erstere sofort wieder geschlossen, worauf man sich möglichst beeilen mußte, Platz für Andere zu machen. Daß auf diese Weise sehr viele zollbare Gegenstände eingeschmuggelt werden können und auch wirklich eingeschmuggelt werden, unterliegt keinem Zweifel; doch bleibt der Versuch immer gefährlich, weil durchaus nicht angenommen werden kann, daß ein solches Verfahren als Regel dient; sondern von einem andern Beamten wohl größere Strenge angewendet werden dürfte.

Zur Fortschaffung des Gepäcks dienen zweirädrige, von einem Pferde gezogene Karren, deren Führer mit merkwürdiger Geschicklichkeit durch das außerordentliche Gewühl fahren. Man zahlt für eine solche Fuhre ohne Rücksicht auf Last und Entfernung ½ Dollar.

Die deutschen Gasthöfe in New-York, welche sich vorzüglich mit Verpflegung der Einwanderer beschäftigen, sind sehr zahlreich in der Nähe des Hafens, aber fast alle sich gleich. Gewöhnlich zahlt man für Nachtlager, Frühstück und Abendessen ½ Dollar pro Tag, doch giebt es auch Häuser, wo man 37½ Cent und wieder andere, wo man 75 Cent zahlt. Bleibt man sieben Tage und darüber, so zahlt man in den meisten dieser Häuser für den siebenten Tag nichts. Um nicht geprellt zu werden, darf man nur die allgemeine Sitte befolgen, sogleich bei Ankunft den Preis für Logis und Kost pro Tag oder Woche zu akkordiren und sich dabei vorzubehalten, daß für Aufbewahrung des Gepäckes und Aufwartung nichts zu zahlen sei. Man bekommt dreimal täglich gekochtes und gebratenes Fleisch, Fleischklöße oder Fisch, Kartoffeln und Gemüse, gewöhnlich Kraut oder weiße Rüben, verschiedene Sorten Weißbrod, Butter und Käse, außerdem zum Frühstück Kaffee mit Milch, Mittags Suppe und Abends Thee mit Milch. Alle Speisen werden zusammen auf die Tafel gesetzt, dann wird geklingelt, worauf die Gäste herzukommen und nach Belieben zulangen. In den bessern Gasthöfen werden auch noch verschiedene Ragouts, Puddings und mehrere Arten Gebackenes gegeben. Zum Nachtlager bekommen gewöhnlich zwei Personen zusammen ein Bett, bestehend aus Matratze mit Unterbett, Kopfkissen und einigen wollenen oder wattirten Decken. Alle Zimmer stehen voll Betten, und man kann nur ein besonderes Lokal für sich haben, wenn man mit seiner Familie oder Reisegesellschaft die sämmtlichen darin stehenden Betten belegen kann, außerdem muß man sich gefallen lassen, oft mit ganz fremden Personen in einem und demselben Zimmer zu schlafen. In solchen Gasthöfen kommen häufig Diebstähle vor, weshalb man Alles, was einigen Werth hat, besonders Geld, gut verwahren muß. Geld muß man in schwere Kisten packen und nur so viel bei sich führen, als man zur Reise bedarf; dieses aber wird am Besten verwahrt, wenn man es in eine leinene Binde einnäht und diese Tag und Nacht auf dem Leibe trägt. Obgleich ich schon auf dem Schiffe ein Zimmer für drei Personen akkordirt hatte, so wollte mich doch der Wirth beim Schlafengehen mit den anderen Auswanderern zusammenbringen; da ich aber erklärte, noch denselben Abend weiter gehen zu wollen, wenn

er sein Versprechen nicht erfüllte, so erhielt ich nach Verlauf einer halben Stunde ein armseliges Dachkämmerchen 4 Treppen hoch, von 2 Betten, 1 Waschtische und 1 zerbrochenem Stuhle so ausgefüllt, daß man sich kaum noch darin herumdrehen konnte. Ich bemühte mich deshalb am andern Tage um ein anderes Logis und wählte, nachdem ich mehrere Stunden vergeblich gesucht hatte, das mir von der deutschen Gesellschaft empfohlene Greenwich-Huas (Greenwich-Street Nr. 82), wo ich abermals in einem Dachverschlage mit 3 Betten, 1 Waschtische, 1 Stuhle und einem halben Fenster untergebracht wurde, jedoch das Versprechen erhielt, in längstens zwei Tagen ein gutes Zimmer mit 3 Betten zu bekommen; es blieb jedoch beim Versprechen, und als ich den zweiten Abend schlafen gehen wollte, fand ich meine ausgebreiteten Sachen auf einen Haufen zusammengelegt und ein Bett bereits von einem Fremden besetzt. Uebrigens war Kost und Bedienung so gut, daß ich dieses Gasthaus jedem Einwanderer empfehlen kann. Da es meine Geschäfte erforderten, ein Zimmer zu haben, wo ich ungestört arbeiten konnte, so miethete ich ein solches in einem englischen Boarding-House (Speisehaus, wo man zugleich logiren kann) und zahlte dafür, einschließlich sehr guter Kost und Bedienung, à Person 4½ Dollar per Woche.

In New-York wird der Einwanderer von allen Seiten mit gutem Rathe überschüttet und findet Menschen, die ihm scheinbar ganz uneigennützig so viele Gefälligkeiten erzeigen, daß er wirklich ganz erfreut und erstaunt ist, wenn er dieses Treiben für wahre Theilnahme annimmt; leider ist es aber keine solche, sondern nur Spekulation auf den Geldbeutel der Ankömmlinge. Es bestehen diese Leute meist aus deutschen Herumtreibern, die nicht arbeiten mögen und sich deshalb von Gastwirthen, Beförderungsgesellschaften, Landspekulanten u. s. w. als Agenten brauchen lassen; sie halten sich den ganzen Tag in den verschiedenen Gasthäusern auf und forschen die ankommenden Einwanderer auf jede mögliche Weise über ihre Absicht und Mittel aus. Agenten der Gastwirthe werden dem Einwanderer, welcher nach Wisconsin gehen will, sagen, er solle nach Missouri gehen, und dem, der nach Missouri will, werden sie Wisconsin als gelobtes Land schildern, beiden aber auch noch so viele andere Vorschläge machen und besonders rathen, sich in der Nähe von New-York anzusiedeln, daß die Einwanderer unentschlossen werden, überlegen, was zu thun sei, und dabei noch eine, auch wohl zwei Wochen in New-York bleiben und ihr Geld verzehren. Die Agenten der Beförderungscomptoirs werden

den Auswanderer stets dahin zu leiten suchen, wohin diejenige Eisenbahn- oder Dampfschiffslinie geht, deren Inhaber die meiste Provision zahlen oder von denen sie direkt besoldet werden. Die Agenten der Landspekulanten rühmen die Ländereien ihrer Auftraggeber über alles andere Land in den Vereinigten Staaten und bedienen sich dabei der schlechtesten Mittel, um ihre Zwecke zu erreichen. Die deutsche Gesellschaft, die als ganz uneigennützig einen großen Ruf erlangte, wirkt, wie ich mich mehrfach überzeugte, ebenfalls durch ihren Agenten Herrn Allstedt für selbstsüchtige Zwecke, indem sie vorzüglich die Auswanderer nach Wisconsin zu spediren sucht, und ist auch in der Wahl der Mittel, die Leute von anderen Staaten, namentlich Ost-Tennessee, abzuhalten nicht sehr eigensinnig, wie ich nöthigenfalls durch Thatsachen beweisen werde. Es befanden sich auf unserem Schiffe einige junge Professionisten aus Leipzig, ein Strumpfwirker aus Thum, welcher seine Familie noch zu Hause hatte, ein Schullehrer und ein Strumpfstuhlbauer aus Thalheim bei Stollberg in Sachsen, oben erwähnte Familie Otto, ein Maler mit Frau aus Berlin, ein Zimmermann aus Erdmannsdorf bei Chemnitz und ein Landmann aus der Gegend von Stollberg, welche sämmtlich nach Wartburg wollten. Von diesen sind nur die beiden Letzteren am 11. November mit meinem Schwager und Neffen dahin abgereist, die Anderen wurden durch den Agenten der deutschen Gesellschaft von ihrem Vorhaben dadurch abgebracht, daß er ihnen eine gedruckte Schmähschrift über Morgan-County in Ost-Tennessee zu lesen gab, worin dieser County die Penitentiary (Strafanstalt) von Tennessee genannt und die Bevölkerung desselben als aus Verbrechern, die dorthin geflüchtet wären und von den Behörden dort nicht eingefangen werden möchten, sowie aus entlaufenen Sklaven bestehend, geschildert wird, so daß man diesen Theil von Tennessee nur bis an die Zähne bewaffnet passiren könne. Dieses Pasquill, welches nur Persönlichkeiten enthält, gegen das Land selbst aber nichts sagen kann, war im März 1848 im Wochenblatte der deutschen Schnellpost in New-York abgedruckt und soll einen gewissen Scholz zum Verfasser haben; das ganze Machwerk ist aber, wie ich mich später überzeugte, die schändlichste, aus Privatrache entsprungene Verläumdung, da die ganze Bevölkerung aus sehr achtbaren Amerikanern und harmlosen deutschen Einwanderern besteht, bei denen Verbrechen gegen Eigenthum und Personen so unbekannt sind, daß nirgends ein Thürschloß existirt und man keinen Stock zur Vertheidigung bedarf, viel weniger Waffen. Zwei Tage nach mir

kam eine Familie aus Leipzig an, welcher ebenfalls ihr Versatz, nach Marlburg zu gehen, ausgeredet wurde; so ist es nun das ganze Jahr hindurch gegangen.

Am 18. November reiste ich in Begleitung von noch 15 Personen, die wir zusammen 54 Centner Gepäck hatten, mit dem Dampfschiffe Northerner im Steerage nach Charleston ab, wofür jede Person 8 Dollar, aber ohne Beköstigung, zahlte. Dieses sehr große Schiff hat eine prachtvolle Kajüte, mit großem Speisesaale, welche sich vom Steuer bis zum Vordermaste erstreckt; dagegen ist der „Steerage" benannte Platz ein so erbärmliches Loch, wie ich eins zu sehen nie erwartet hätte. Vor dem Vordermast ging eine Treppe hinab, so schmal, daß ich kaum durchkonnte, außerdem ganz gerade stehend und oben nicht befestigt; wenn man diese hinab und dann mit Lebensgefahr hinter ihr herumgeklettert war, so ging es noch eine ähnliche hinunter. Nun befand man sich in einem dreieckgen Raume an der Spitze des Schiffes, ungefähr sieben Fuß hoch, darin waren an beiden Seiten drei Reihen Kojen über einander angebracht, in diesen jedoch nur einzelne lose Bodenbretter, so daß es fast unmöglich war, ein solches Loch zum Schlafen zu benutzen.

Bettsäcke, Koffer und sonstiges kleines Gepäck wurde, so gut es gehen wollte, noch hinunter gestaut, und nachdem alle Kojen in Beschlag genommen und der dazwischen befindliche geringe Raum ebenfalls von Schlaflustigen besetzt war, fand es sich, daß noch acht Personen übrig waren, die durchaus sich nicht placiren konnten. Auch ich war unter Letzteren, da ich mich vor Schmutz und Gestank nicht unten aufhalten konnte und sogleich wieder herauf mußte. Ich entschloß mich, die Nacht auf dem Verdecke zuzubringen und machte mir mittelst eines Schlafrockes und Mantels ein Lager auf den Planken des Vorderschiffes. Außer mir blieben noch ein baierischer Bauer mit zwei Söhnen und vier Irländer auf dem Deck, welche Letztere sich neben mich legten und mich endlich als Kopfkissen benutzten; alles Zanken half Nichts, so daß ich mir mitten in der Nacht ein anderes Lager zurichten mußte. Diese Nacht war sehr kalt und windig, gegen Morgen fing es sogar an zu regnen, so daß ich beim Erwachen im Wasser lag und ganz durchfroren war. Der Regen nahm immer mehr zu und ich konnte mich trotz sehr warmer Kleidung nicht erwärmen und bekam einen so heftigen Kopfschmerz, daß ich fürchtete, ernstlich krank zu werden. Zwei erneute Versuche, ein trocknes Plätzchen in unserem armseligen Loche zu gewinnen, waren fruchtlos; denn

ungerechnet, daß unten Mann an Mann stand, trieb mich auch der abscheuliche Gestank jedesmal sofort wieder herauf. Es waren nämlich unter den Passagieren viele Irländer, welche die Unreinlichkeit auf's Höchste trieben und sogar den Absatz zwischen beiden Treppen während der Nacht als Abtritt benutzt hatten. Ich verlangte nun vom Kapitän wenigstens einen trockenen Platz, erhielt aber zur Antwort, dazu sei er nicht verpflichtet, Steerage-Passagiere gehörten auf's Deck, der Raum unter der Kajüte wäre nur zur Aushülfe da, und was ich denn auch für 8 Dollar mehr haben wolle. Trotz des nassen und sehr kalten Wetters konnte man auch nicht einmal für Bezahlung eine Tasse Kaffee oder sonst etwas Warmes bekommen; ich entschloß mich also, da mein Kopfschmerz und der Frost immer heftiger wurden, einen Kajütenplatz zu nehmen und für die Erlaubniß, noch zwei Nächte in einem vernünftigen Bette liegen, mich im Trocknen aufhalten und viermal mit speisen zu können, 17 Dollar nachzuzahlen. Kaum hatte ich diesen andern menschlichen Aufenthalt eingenommen, so kam noch ein deutscher Tischler und dann der oben erwähnte baierische Bauer mit seiner Frau, welche es in jenem Loche auch nicht mehr aushalten konnten und lieber 17 Dollar à Person nachzahlten.

Nachdem wir am 21. früh 4 Uhr in Charleston angekommen und aufgeweckt worden waren, blieben wir noch bis Tagesanbruch auf dem Schiffe, bekamen aber trotz des theuern Passagepreises nicht einmal Frühstück und mußten erst einen Wirth herauspochen, um Kaffee zu erhalten, was aber auch über eine Stunde dauerte. Es ist wirklich eine Schande für Amerika, daß die eigenen Schiffe so wenig beaufsichtigt sind und die Passagiere auf denselben so schlecht behandelt werden dürfen, während für die Ueberfahrt von Europa ziemlich strenge Gesetze in dieser Hinsicht bestehen. Nach Versicherung vieler Deutschen, welche auf Flußdampfschiffen und Kanalböten gereist sind, ist es auf dem zweiten Platze derselben eben so erbärmlich, während die Kajüte überall verschwenderisch eingerichtet ist.

Alle Passagiere nach Wartburg bekommen in New-York von Herrn G. F. Gerding oder dessen Agenten Herrn Schulze ein Schreiben an den Eisenbahnagenten in Charleston, worauf man nur halben Fahrpreis bezahlt, so wie Adressen an Gastwirthe in Charleston, Dalton und Chatanooga, und an einen Agenten in Kingston, worin diese Herren ersucht werden, dem Einwanderer zu schnellem und billigsten Fortkommen behülflich zu sein. Für Charleston lautete unsere Adresse an Herrn Fr. Schneider, Globe-Hotel in der Queen Street.

Wir fanden daselbst eine ziemlich deutsche Bewirthung, sollten aber auch für Frühstück, Mittag- und Abendessen, Nachtquartier und noch einmal Frühstück à Person 1¼ Dollar zahlen, kamen jedoch nach vielem Handeln noch mit 1 Dollar weg. Es ist das einzige deutsche Gasthaus in Charleston!

Der Dampfwagen ging früh 10 Uhr ab, wir konnten jedoch unser Gepäck nicht vor 12 Uhr aus dem Schiffe und auf die Eisenbahn bringen, weswegen wir eben einen Tag dableiben mußten. Zur Fortschaffung des Gepäckes findet man am Hafen eine Menge zweirädrige Karren wie in New-York, geführt von Negern oder Mulatten, welche für eine Fuhre auf den ziemlich entfernten Bahnhof ebenfalls ½ Dollar nehmen.

Charleston, die Hauptstadt von Süd-Karolina, liegt dicht am Meere, dessen Einbuchtung den Hafen bildet; der Handel nach auswärts mit Landesprodukten, vorzüglich Baumwolle, ist bedeutend. Die Stadt ist groß mit geraden, rechtwinkligen und breiten, meistens gut gepflasterten und mit reinlichen Trotoirs versehenen Straßen, die Häuser nett gebaut und freundlich angestrichen. Die Bevölkerung besteht zu zwei Drittheilen aus Sklaven, die alle anstrengenden und geringen Arbeiten und Geschäfte verrichten. Das Klima ist nur in der kälteren Jahreszeit gesund, wo man anstatt des Schnees noch schöne mit Blumen geschmückte Gärten und grüne Bäume findet.

Am 22. früh 9 Uhr fuhren wir auf der Eisenbahn nach Hamburg, 136 engl. Meilen, Preis für die Emigranten 2 Dollar 75 Cent, dabei 100 Pfd. Gepäck frei und für je 10 Pfd. Ueberfracht 5 Cent. Dort kamen wir Abends 5 Uhr an. Diese Stadt liegt am linken Ufer des großen Savannahflusses, über den eine hölzerne Brücke führt, wo jeder Fußgänger 2 Cent Zoll bezahlen muß. Am rechten Ufer liegt im Staat Georgia die ziemlich große und schöne Stadt Augusta, mit breiten, geräumigen Straßen, welche ausgebreiteten Handel treibt. Jenseits derselben ist der Bahnhof der Georgia-Eisenbahn, wo der Zug Abends 8 Uhr nach Atalanta abgeht. Wir beeilten uns, dahin zu kommen, bedienten uns zur Fortschaffung unseres Gepäckes von einem Bahnhofe zum andern abermals solcher zweirädriger Karren, wie in New-York und Charleston, und zahlten für jeden derselben 1 Dollar. Obgleich wir nun bereits um 6 Uhr mit unserem Gepäcke am Bahnhofe waren und der Clerk (Kassirer) erst gegen 7 Uhr kam, so wollte dieser doch nur die Personen mitnehmen, das Gepäck aber am andern Morgen mit einem Güterzuge nachsenden lassen; wir jedoch,

nicht gesonnen, uns vom Gepäcke zu trennen, weil dessen Nachsendung häufig sehr unzuverlässig besorgt wird, entschlossen uns, in Augusta zu bleiben. Da kam, als wir eben im Fortgehen begriffen waren, ein Amerikaner, dessen Bekanntschaft ich auf dem Dampfschiffe gemacht hatte, herein, und nachdem er vernommen, was uns hierzubleiben nöthigte, sprach er einige Worte mit dem Clerk, worauf dieser sogleich noch einen Personen= und einen Güterwagen für uns und unser Gepäck anhängen ließ, wodurch die Abfahrt bis um 9 Uhr verzögert wurde. Auf Nachfrage erfuhr ich, daß es Mstr. King aus Unionsburg, Senator und Präsident der Süd=Karolina= und Georgia=Eisenbahngesellschaft gewesen war, der sich für unser Weiterkommen so freundlich verwendete.

Von Augusta nach Atalanta sind es 175 Meilen, der Fahrpreis für Emigranten beträgt 3½ Dollar mit 100 Pfd. Gepäck frei. Ueberfracht wurde uns im Ganzen 20 Dollar angerechnet, was ungefähr 60 Cent für 100 Pfd. ausmacht. Die Personenwagen lassen nichts zu wünschen übrig; sie sind groß, haben einen Gang in der Mitte von vorn nach hinten, an jeder Seite desselben zwei Reihen gepolsterter Sitze, besondere Abtheilungen für Damen und für Tabakraucher, Oefen und Apartements, ja von Augusta aus waren sie sogar zum Schlafen eingerichtet, mit zwei Reihen Kojen übereinander, wie in einer Dampfschiffkajüte; die Güterwagen sind ebenfalls sehr zweckmäßig eingerichtet, enthalten gewöhnlich ein Komptoir für den Clerk und einige Apartements; die Lokomotiven hingegen sind klein und schwach, sehen ganz schmutzig und verrostet aus und werden bloß mit Holz geheizt. Die Bahnen mit ihren Dämmen, Einschnitten und Brücken sind höchst leichtfertig gebaut und nirgends mit Bahnwärtern versehen; wir sind über Brücken von schwindelnder Höhe gefahren, die eben nicht breiter waren, als die Bahn nothdürftig erforderte und durchaus nur aus schwachen Holzgerüsten bestanden.

Am 23. früh 8 Uhr kamen wir in Atalanta an, nahmen Frühstück und Mittagessen, wofür wir à Person 75 Cent zahlen mußten. Um 1 Uhr ging es weiter nach dem 100 Meilen entfernten Städtchen Dalton, wo die Eisenbahn endet; Emigrantenfahrpreis 2 Dollar, für unsere Ueberfracht im Ganzen 8 Dollar, also nicht ganz 25 Cent für 100 Pfd. Dort langten wir Abends 8 Uhr an und akkordirten im Cherokee=Hotel für ½ Dollar Abendessen, Nachtlager und Frühstück. Im Washington=Hotel sollten wir 62½ Cent zahlen. In Dalton findet man immer eine Menge Wagen mit 3—6 Pferden oder Ochsen

bespannt, welche Personen und Gepäck von der Eisenbahn nach allen Gegenden weiter schaffen und ebenso herzubringen. Wir mietheten zwei Wagen, um unser Gepäck nach Chattanooga am Tennessee River, 36 Meilen entfernt, zu schaffen, und zahlten für je 100 Pfd. 30 Cent. Einen dritten Wagen nahmen wir für 8 Personen, wofür wir zusammen 8 Dollars 40 Cent bezahlten. Wir mußten noch ein Nachtquartier bei einem Farmer machen, bei dem wir ein sehr gutes Abendessen und Frühstück, aber ein ziemlich schlechtes Lager auf den Dielen eines sehr luftigen Blockhauses, Alles zusammen für 62½ Cent à Person, erhielten. Die Frauen und Kinder folgten am nächsten Tage mit der Stage (Postkutsche), für 3 Dollar à Person, nach.

Am 25. Abends waren wir Alle zusammen in Chattanooga, erfuhren aber zu unserm Leidwesen, daß die drei Dampfschiffe, welche auf dem Tennessee und Holston zwischen Decatur in Alabama und Knoxville in Tennessee fahren, sämmtlich stromaufwärts nach Knoxville gegangen wären, und daß wir warten müßten, bis eins derselben wieder nach Decatur hinunter und dann bis Chattanooga zurück wäre. Wir mußten hier 6 Tage im Gasthause bei Mstr. Glaß warten und für jeden Tag à Person 1 Dollar zahlen, weil wir, im Vertrauen auf ein Empfehlungsschreiben von Herrn Gerding an diesen Wirth, unterlassen hatten, vorher zu akkordiren. Chattanooga ist der Ort, bis zu welchem die Eisenbahn von Dalton aus fortgeführt wird; es ist auch schon an mehreren Stellen unterwegs und auch am künftigen Bahnhofe vorgearbeitet worden, und man versicherte mir, daß diese Bahn im Jahre 1849 fertig werden müsse. Sie steht auf allen neueren Landkarten als fertig angegeben; ebenso findet man auf den Landkarten eine Bahn von Dalton nach Knoxville als fertig bezeichnet, welche erst in drei Jahren vollendet werden soll.

Die Stadt Chattanooga ist noch im Entstehen, liegt am Tennessee, welcher hier bereits über 2000 Fuß breit ist, in einem weiten, sehr unebenen Thale und theilweise an Bergabhängen, ist wie fast alle amerikanische Städte sehr groß, mit rechtwinkligen Straßen ausgelegt und hat jetzt ungefähr 50 Häuser, darunter noch viele alte erbärmliche Blockhäuser. Die Gegend soll sehr ungesund sein, da der Tennessee oft austritt und mehrmals schon die tiefer gelegenen Häuser bis über das erste Gestock hinaus mit Wasser angefüllt hat.

Nachdem wir im Gasthause während unseres sechstägigen Aufenthalts nicht weniger als 18 Mal Schweinefleisch gegessen hatten, langte endlich am 1. December Mittags 12 Uhr das Dampfschiff Pickaway

auf seiner Rückfahrt von Decatur nach Knoxville hier an und nahm uns auf. Obgleich wir nun schon um 5 Uhr zur Abfahrt bereit waren, so mußten wir doch bis gegen Morgen liegen bleiben, da ein heftiger Sturm eintrat, welcher bis lange nach Mitternacht anhielt.

Die Tennessee-Dampfschiffe gehen ganz flach, sind schmal und lang, haben im Vorderschiff den Kessel frei auf dem Verdeck und im Hintertheile die Maschine ebenfalls frei stehen, ein einziges Rad befindet sich hinter dem Steuerruder. Zwischen Kessel und Maschine ist ein freier Raum für Güter und für die Zwischendeckpassagiere, welche sich in diesem fast ringsum offenen Raume Tag und Nacht aufhalten, sich selbst beköstigen und für die Fahrt von Chattanooga bis Kingston 1½ Dollar zahlen müssen.

Ueber diesen Räumen befindet sich die Kajüte, außerhalb ein schmaler Gang um das Schiff herum, innerhalb an den Wänden die Schlafstellen, Comptoir, Waschraum u. s. w., zwischen diesen ein Salon mit zwei Oefen für Herren und ein kleinerer mit einem Ofen für Damen. Ueber der Kajüte ist noch ein freier Raum mit Geländer für Kajütspassagiere. Man zahlt als solcher für dieselbe Fahrt mit sehr guter Beköstigung und Bett nur 3 Dollar.

Wir kamen Sonntags früh den 3. vor Sonnenaufgang an dem Punkte an, wo der Clinch-River sich in den Tennessee ergießt; hier ist ein Lagerhaus für Frachtgüter. Bei dem Aufseher desselben nahmen wir ein amerikanisches Frühstück, wofür wir nur 16 Cent à Person zahlten, und gingen dann nach dem eine Meile entfernten, dicht am Clinch liegenden Städtchen Kingston, um Wagen für den Transport unserer Güter nach Wartburg zu miethen.

Kingston ist der Court- oder Gerichtssitz für Roane-County, schon längst angelegt, besteht aber nur erst aus achtzig Häusern, welche eine hübsche Straße bilden und übrigens auf der großartigen Auslage sehr zerstreut umher gebaut sind. Die Einwohnerzahl mag 400—500 sein, wonach also die Angabe des Herrn Weigel in Leipzig zu berichtigen ist, der in seinem neuesten Programme über die Kolonie Wartburg, Kingston als eine Stadt mit 12,000 Einwohnern aufführt.

Es dauerte ziemlich lange, ehe zwei Wagen herbeigeschafft wurden, welche jedoch nicht das ganze Gepäck laden konnten, da der Weg nach Wartburg bergauf geht. Das zurückgelassene Gepäck kam später mit anderen Frachtgütern nach. Man bezahlt auf dieser 22 engl. Meilen langen Strecke für 100 Pfund 40 Cent. Nachdem wir zu Mittag gegessen, wofür wir à Person 25 Cent zahlten, machten wir uns zu Fuße auf

den Weg, passirten eine Meile oberhalb Kingston den Clinch, dann vier Meilen weiter den Big-Emery auf Fähren, wo jedesmal à Person 5 Cent Fährgeld zu entrichten sind, und gelangten an diesem Tage noch bis zu dem Farmer D'Armond, 9½ Meile von Kingston. Hier übernachteten wir, zahlten für Abendessen, gutes Nachtlager und Frühstück à Person 30 Cent, passirten am nächsten Tage den Little Emery und einige andere Creeks (Bäche) und gelangten Nachmittags drei Uhr nach Wartburg.

Schon auf dem Northerner fanden sich Amerikaner, die uns zudringlich über unsere Reisezwecke befragten und dann sogleich mit gutem Rathe bei der Hand waren. Da wurden gute Ländereien an allen Orten, wo wir durch mußten, angeboten und Morgan-County als das ärmste Land in den Vereinigten Staaten geschildert. Im Globe-Hotel in Charleston fanden wir einen Deutschen, Namens Backhaus aus der Gegend von Weimar, welcher vor einigen Tagen aus Wartburg zurückgekehrt war und nun auf diese Kolonie heftig schmähte. Er sagte unter Anderem, daß der Boden nur aus Sand und Steinen bestände und daß man dort Nichts erbauen und absetzen könne; auch hätte er bereits nach Hause geschrieben und es würden seine wahrheitsgetreuen Berichte durch den Druck veröffentlicht werden. Ich examinirte diesen Mann und erfuhr dabei, daß er Nachmittags 4 Uhr in Wartburg angekommen und am nächsten Tage früh 7 Uhr wieder abgereist war. Da er nun auch bei Angabe seines Gewerbes und seiner früheren Lebensverhältnisse sich mehrmals widersprach und durchaus nicht angeben konnte, was er nun zu treiben gedächte, so berücksichtigte ich seine Erzählungen nicht weiter. Ein Theil meiner Reisegesellschaft jedoch hätte sich beinahe durch ihn von der Fortsetzung ihrer Reise abhalten lassen. Auf der Eisenbahn ging das Ausfragen der Amerikaner wieder los, dann wurden mir Ländereien in Georgia und Nord-Karolina angeboten, natürlich diese übermäßig gepriesen; Morgan-County und die vor ihm liegenden Ländereien aufs Aeußerste heruntergemacht. Fragte ich, ob der Redner die Ländereien, welche er als unbauwürdig beschrieb, aus eigener Anschauung kenne, so wurde mir stets ein „Nein" zur Antwort. In Marietta, einem Anhaltepunkte der Eisenbahn, kam sogar ein Deutscher auf den Wagen und leitete sofort ein Gespräch ein, welches auf Anpreisung dieser Gegend und auf Landanerbieten hinauslief. In Dalton gesellte sich gleich beim Aussteigen ein Deutscher zu uns, der außerordentlich bemüht war, uns gut und billig unterzubringen; er war Tischler und wohnte im Cherokee-

Hotel, wo auch wir übernachteten. Am andern Morgen half er uns Verschiedenes einkaufen und versäumte sich den halben Tag, immer anführend, daß er durchaus Nichts für seine Bemühungen verlange, sondern nur seinen Landsleuten gefällig sein wolle. Wir erfuhren jedoch nach und nach von ihm, daß er in der Nähe 50 Acker des vorzüglichsten Landes besitze, daß dergleichen Land noch in Menge von einem Herrn Beyer zu haben sei, und daß er uns gern hinführen wolle, wenn wir vielleicht hier Land kaufen wollten. Nach Wartburg sollten wir ja nicht gehen, dort wären nichts als Steine. Endlich in Chattanooga wurde dies Treiben doch zu arg; es befanden sich dort ein französischer Schneider, welcher deutsch sprach, und ein deutscher Bäcker, beide Agenten von Landspekulanten, sowie mehrere Amerikaner, welche sich alle erdenkliche Mühe gaben, um uns dort festzuhalten. Ich wurde sogar aufgefordert, nach Alabama zu kommen und dort Land zu kaufen, welches wie gewöhnlich unübertrefflich in jeder Hinsicht und zu den niedrigsten Preisen zu haben sei. Meine Reisegefährten waren auch bereits so weit bearbeitet, daß sie mehrere Farms besichtigten und auf dem Punkte standen, zu kaufen, als die Ankunft des Pickaway, sowie Vorstellungen meinerseits sie doch noch veranlaßten, mit abzureisen, wenigstens um das so sehr verschrieene Land zu sehen; Jetzt haben sie hier gekauft und sind sehr froh, mit hergekommen zu sein. Kurze Zeit vorher war eine Familie, welche schon 300 Thaler auf Land in hiesiger Kolonie angezahlt hatte, beredet worden, bei Chattanooga Land zu pachten und zwar für 1½ Dollar per Acker. Auch in Kingston giebt es noch bedeutende Landbesitzer, deren Agenten ebenfalls wieder Reane-County als das ausgezeichnetste, Morgan-County dagegen als das ärmste Land darstellen.

Diese außerordentlichen Anstrengungen der amerikanischen Landspekulanten machen es einzelnen Einwanderern sehr schwer, nach Wartburg zu gelangen, und es ist dies wohl eine der Hauptursachen, warum diese Kolonie noch nicht stärker in Aufnahme gekommen und ungleich schneller gewachsen ist. Es gehört besondere Festigkeit dazu, sich nicht irre machen zu lassen, und wenigstens das erwählte Land zu prüfen, ehe man es verwirft. Ich bin darauf gefaßt gewesen, ein ganz armseliges Land zu finden; denn wenn die Strecken, welche ich durchreiste, zu vorzüglichem Lande gerechnet wurden, was sollte denn da an dem so sehr verachteten Morgan-County sein! Die eigene Anschauung und Prüfung hat mich jedoch überzeugt, daß alle diese Schmähungen nur Verläumdungen und Spekulationen für Privatzwecke sind.

Schon während meines Aufenthaltes in New-York machte ich bei einem Ausfluge nach Long-Island die Bemerkung, daß dort ein sehr dürftiger Boden sei, wie ich ihn kaum in Deutschland gesehen hatte. Sand, Kies, Steingerölle ohne allen Humus, und doch wurde dieses schlechte Land zu enormen Preisen verkauft; z. B. der Besitzer einer Farbenfabrik kaufte von seinem Nachbar ein Stückchen Garten, 50 Fuß breit und 100 Fuß lang, für 600 Dollar. Von Charleston aus durch Süd-Karolina bis Hamburg habe ich nur Sandebene und Sumpf mit Kiefernwald besetzt gesehen. Einen Theil von Georgia habe ich bei Nacht durchreist, kann also darüber nicht urtheilen; sobald es Tag wurde, habe ich jedoch meine ganze Aufmerksamkeit der Betrachtung des Bodens, besonders in den Einschnitten der Eisenbahn gewidmet und gefunden, daß in diesem schon etwas gebirgigen Lande der Boden gar nicht anders aussah wie in deutschen Gebirgsländern: Felsen, Steingerölle, Kies und Lehm abwechselnd als Untergrund, darüber eine schwache Humusdecke, gewöhnlich nur einige Zolle, höchstens einen Fuß tief. Den Weg von Dalton nach Chattanooga habe ich, obgleich ich die Fuhre bezahlte, in Begleitung eines Engländers fast ganz zu Fuße gemacht und dabei überall den Boden betrachtet und geprüft und ihn fast durchgängig weit schlechter gefunden, als später in Morgan-County. Ein einziges Mal kamen wir an einen Fluß, dessen indischen Namen ich nicht behalten habe (er wurde deutsch „Fluß der Todten" genannt), wo eine sehr üppige Vegetation und ungewöhnlich starke Bäume vorzüglich reichen Boden anzeigten.

Um Chattanooga herum war das Land außerordentlich verschieden. Ich fand ein schmales Stück Land, dicht am Ufer des Tennessee, mit ziemlich starken und zehn bis zwölf Fuß langen Maisstengeln, gleich daneben eine Schlucht voller Gestein, über dieser einen Hügel mit durchaus schlechtem kiesigen Boden und neben diesem wieder einen ziemlich steilen Berg mit dem schönsten schwarzen Humus, ohne ein Steinchen, wofür der Eigenthümer 10 Dollar per Acker forderte. Auf der andern Seite traten Felsen bis in den Tennessee, und das dem Ufer zunächst liegende Hügelland war ein rother, grandiger Lettenboden, mit Felsentrümmern gemengt, der nur etwas Fichtengebüsch und Krüppeleiche trug, welche letztere stets den schlechtesten Boden anzeigt. Ueberhaupt zeigte sich das ganze Thal des Tennessee, bis Kingston hinauf, als Hügelland, wo nur wenige Streifen Ebene vorhanden, die aber dann auch immer den Ueberschwemmungen des Flusses ausgesetzt sind. Der Tennessee empfängt bis Kingston aufwärts, außer mehreren kleinen

Flüssen, auf der linken Seite den Hiwassee, auf der rechten den Clinch und noch weiter hinauf den Holston, sämmtlich ebenfalls schiffbare Ströme, wovon letzterer bereits bis Knoxville mit Dampfschiffen befahren wird.

Bei Kingston ist das Land, so weit es an den Ufern des Clinch und Tennessee liegt, sehr gut, sonst aber so außerordentlich schlecht, daß es nur kleine, ganz verkrüppelte Bäume trägt und zum Anbau fast ganz untauglich ist. Gleich oberhalb der bereits erwähnten Fähre über den Clinch mündet in diesen der Big-Emory, am linken Ufer von hohen Bergen, am rechten von Bottom-Ländereien eingeschlossen, für welche die Besitzer hohe Preise fordern. Von Günthers Eisenwerk bis zu D'Armonds Farm steigt das Land wellenförmig an und besteht abwechselnd aus mehr oder weniger mit Sand und Kies gemischten, doch meistens fruchtbarem Boden. Unmittelbar hinter D'Armonds Farm erhebt sich die Gegend in steilen Bergen und hier ist die Grenze von Morgan-County. Ganz Süd-Karolina, Georgia und Ost-Tennessee sind, so weit ich diese Länder gesehen habe, mit zusammenhängendem Wald bedeckt, welcher in den Sandebenen der ersteren Staaten aus Nadelholz und einigen immergrünen Laubarten, in den höheren Theilen aus Laubholz, untermischt mit Nadelholz, besteht. An Straßen und schiffbaren Flüssen findet man Farmen in Menge, mit Fram- oder Blockhäusern, die immer schlechter werden, je weiter man ins Innere kommt. Dagegen nimmt die Sklavenbevölkerung, welche im Süden die Mehrzahl ausmacht, immer mehr ab, je mehr man nordwestlich geht. Hier giebt es nur sehr wenige Sklaven, die es übrigens sehr gut und jedenfalls weit besser als Tausende unserer deutschen Arbeiter haben.

Ich schließe hier meine Reisebeschreibung und gehe nun zur speciellen Beschreibung von Morgan-County und der Kolonie Wartburg über.

Allgemeine Beschreibung

von

Morgan-County in Tennessee.

Morgan-County liegt zwischen dem 35. und 36. Grade nördlicher Breite am Abhange des Cumberland-Gebirges. Steile, einige hundert Fuß über den Boden sich erhebende Bergreihen durchstreifen das, übrigens fast durchgängig wellenförmige Land an verschiedenen Stellen und verleihen ihm einen gebirgigen Charakter, so daß das Ganze als ein bergiges, sanft nach West und Süd-West sich neigendes Hochplatean bezeichnet zu werden verdient.

Der Big-Emery-Fluß entspringt an der nördlichen Grenze, strömt in vielen Krümmungen nach Süden und empfängt zahlreiche Flüsse und Bäche, welche die Gegend bewässern. Im Umfange der von mir erworbenen Ländereien mündet in ihn auf der rechten Seite oberhalb Montgomery der Rock-Creek, unterhalb dieser Stadt der Obeds-River mit dem Big- und Little-Clear-Creek, dem Daddys-Creek und mehreren anderen Bächen, deren Namen ich noch nicht kenne; dann der Island-Creek, der Crab-Orchard-Creek mit Staples Mill-Creek und mehreren Zuflüssen und endlich der Cliffts-Creek; auf der linken Seite, im Bezirke der Kolonie Wartburg, der Crooked-Fork und in Roane-County der Little-Emery, welcher vorher Morgan-County in zwei Armen und vielen Krümmungen durchfließt.

Die Ufer der meisten dieser Flüsse sind steil, bald von höheren und jähen, bald von minder hohen Felsabhängen eingeschlossen; ihre Betten felsig und ihr Fall bedeutend. Der Big-Emery hat bei Montgomery ohngefähr die Stärke der Mulde bei Leißnig in Sachsen, nach dem Einflusse des Obeds-River aber, welcher mindestens doppelt so stark ist, gleicht er der Saale unterhalb Naumburg, nur mit stär-

kerem Falle. Im Juli, August und September hat er sehr wenig Wasser, da zu dieser Zeit fast alle Bäche mehr oder minder austrocknen, in den übrigen, besonders den Wintermonaten December bis März, ist er jedoch sehr voll und steigt nach anhaltendem Regenwetter wohl zwanzig Fuß. In dieser Zeit wird er, wenn einige felsige Stellen seines Bettes gesprengt und vertieft werden, jedenfalls bis zur Mündung des Obeds-River mit Flachbooten zu beschiffen sein. Bis zu Coopers Fähre, vier Meilen oberhalb seiner Mündung in den Clinch, sind schon gelungene Versuche mit den flachen Tennessee-Dampfschiffen gemacht werden. Der Fall der kleineren Flüsse ist so stark, daß z. B. Staples Mill-Creek, welcher dicht an dem Platze hinfließt, den ich zur Anlage von Neu-Chemnitz bestimmt habe, in seinem letzten Laufe auf der Länge einer englischen Meile fünf bis sechs oberschlächtige Mühlwerke treiben kann. An Quellen, welche köstliches Trinkwasser liefern, ist das Land außerordentlich reich, doch sollen die meisten derselben während der heißen Sommermonate versiegen, dagegen in der Tiefe von wenigen Fuß stets reichliches Wasser zu finden sein. Der Boden ist, so weit ich ihn untersucht habe, ziemlich abwechselnd. Auf der linken Seite des Emery gegen Süden ein stark mit Sand gemischter Lehm mit schwacher Humusdecke, weniger Sand und mehr Humus, je weiter man sich der Mitte nähert; im Norden habe ich ihn persönlich noch nicht untersucht, doch soll er gleichen Charakter mit dem in der Gegend um Wartburg haben. Auf dem rechten Ufer des Big-Emery, im Norden, Lehm mit Kies und wenig Humus, südlich vom Rock-Creek mehr Sand als Kies und theilweise Humus bis über einen Fuß dick, südlich vom Obeds-River meistens ausgezeichnet schöner Humus von 6 bis 18 Zoll Dicke, mit Lehmunterlage, zuweilen etwas steinig, doch gerade an solchen Stellen ganz vorzüglich fett. Im Allgemeinen ist fast alles Land, was ich gesehen habe, von der Art, wie man es in Sachsen als Land erster Klasse bezeichnen würde, und wenn man bearbeitete Stücke sieht, so glaubt man kaum, daß es derselbe Boden sein könne, der noch roh daneben liegt. Auf den Farmen der Herren Weißgerber, Weigel und Neubert, welche in der Nähe von Wartburg und somit in dem anerkannt ärmsten Theile der Colonieländereien liegen, sieht man nach deutscher Art bearbeitete Felder, die dem schönsten Lande in der Lommatzscher Pflege in Sachsen nichts nachgeben, obgleich es Stücke sind, die als ausgebaut von den Amerikanern verlassen, oder als zu armer Boden gar nicht in Angriff genommen werden waren.

Für den Amerikaner ist freilich der größere Theil von Morgan-County armes Land, da es ihm bei seiner hier üblichen, eben so oberflächlichen als verkehrten Wirthschaft ohne Dünger nicht unausgesetzt reiche Maisernten liefert, wie es wohl an den stets ungesunden Ufern der größeren Ströme Amerika's der Fall ist; für den deutschen Landwirth hingegen, welcher wenigstens theilweise Düngererzeugung und sorgfältige Behandlung der Felder mit einem verständigen Fruchtwechsel einführt, ist es jedenfalls ein Boden, welcher nichts zu wünschen übrig läßt. Diese Wirthschaft ist auch aufs Höchste vervollkommnet in den alten Staaten der Union, welche sämmtlich sogenannten armen Boden haben, längst mit großem Erfolge eingeführt, und es ist anerkannte Thatsache, daß auf den, in manchen Werken so sehr gepriesenen Bottom-Ländereien deutsche Getreidearten nicht gedeihen, oder daß überhaupt die Beschreibungen dieser Ländereien außerordentlich übertrieben sind.

Ueber die noch nicht hinlänglich erforschten geognostischen Verhältnisse kann ich nur einige kurze Bemerkungen hinzufügen, die ich den gefälligen Mittheilungen des Herrn Ch. Rauschenberg, welcher sich als Arzt und Naturforscher seit 1½ Jahre in hiesiger Gegend aufhält, verdanke, der mir auch im Vereine mit seinem Schwager, Herrn Alexander Gerhardt, ehemaligem Conservator am zoologischen Museum in Leipzig, die nachfolgenden Notizen über Klima, Pflanzen- und Thierwelt lieferte.

Jedenfalls gehört die hiesige Gegend der Steinkohlenformation an, von der jedoch auf dem kleinen Gebiete der Kolonie Wartburg nur wenige Glieder sichtbar werden. Ueberall begegnet der aufmerksame Beobachter einem feinkörnigen, grau oder gelbgrau gefärbten festen Sandsteine. Die an manchen Orten lose herumliegenden Gesteinbruchstücke, die einzelnen nackten Felsplatten der steilen Bergabhänge, die wenigen Felswände der Flußthäler, der steinige Grund der fließenden Wasser, alles dies besteht aus diesem Sandsteine. Einige in ihm aufgefundene Versteinerungen, den Gattungen Sigillaria und Stigmaria angehörig, bezeichnen ihn als Kohlensandstein. Steinkohlenschichten, die bis jetzt an mehreren Orten zu Tage liegend gefunden wurden, waren stets von geringer Mächtigkeit. Steinkohlenschiefer scheint ganz zurückzutreten und Steinkohlenkalk zeigt sich nur an der Grenze der Kolonie, so daß der erwähnte Sandstein sichtlich die vorherrschende Gebirgsart auf dem in Rede stehenden Gebiete ist. Ueber demselben lagert ein lehmiges, stellenweise mit Sand untermischtes

Erdreich von sehr verschiedener Dicke, auf welchem sich die von mehreren Zollen bis zu mehreren Fußen dicke Humusschicht ausbreitet.

Dieses ganze Gebiet scheint, wie das Cumberland-Gebirge überhaupt, reich an Eisenerzen zu sein, deren Bau im Allgemeinen wenig Mühe und Kosten verursachen dürfte, da nutzbare Erze, wenigstens an einer Stelle, unmittelbar zu Tage liegen. Der an der westlichen Grenze der Kolonie erscheinende Bergkalk enthält möglicherweise Bleierze. Da die Steinkohlenformation der hiesigen Gegend älter ist, als die in dem jüngeren Keuper- oder Zechstein eingeschlossenen Salzlager, so ist es wenigstens nicht sehr wahrscheinlich, daß, wie an mehreren Orten gesagt wird, solche oder salzhaltige Quellen in dem Gebiete der Kolonie vorkommen.

Das Klima von Morgan-County mag im Allgemeinen ungleich angenehmer sein, als das des größeren Theiles der übrigen Vereinigten Staaten. Die südliche Lage einerseits und die nicht unbedeutende Erhebung über dem Meeresspiegel andererseits müssen der Natur der Sache nach mildernd einwirken, so daß die beiden Extreme der mittleren Sommer- und Wintertemperatur nicht so scharf hervortreten können. Während so in den nördlicher gelegenen Staaten, wohin sich doch die meisten deutschen Auswanderer wenden, die Sommer beinahe tropisch heiß und kurz, die Winter sibirisch kalt und lang sind, erreicht hier weder Hitze noch Kälte einen allzu hohen Grad. Die dem deutschen Winter entsprechende Jahreszeit charakterisirt sich weniger durch Kälte oder Schnee, als vielmehr durch laues und anhaltend regnerisches Wetter. Dies gilt vom November bis zum März, vorzüglich aber von den ersten beiden Monaten des Jahres, und es vergeht um diese Zeit wohl kaum eine Woche, in der es nicht wenigstens einen, wenn nicht mehrere Tage regnet. Schnee, wenn ja solcher fällt, bleibt gewöhnlich nur wenige, höchstens sechs bis zehn Tage liegen, und der Fall, daß er einen Monat gelegen, gehört zu den seltensten Vorkommnissen. So schneite es während des Winters von 1847—48 nur einmal Nachts und noch überdies so wenig, daß am andern Tage Mittags nichts mehr davon zu bemerken war. Im laufenden Winter lag der Schnee einmal 3—4 Zoll hoch, und zwar vom 3.—12. Januar. Im Verhältniß zu den deutschen Wintern sind die hiesigen ungemein mild. An regnigten Tagen sind Temperaturen von 12—15 Grad Reaumur nicht ungewöhnlich, der Thermometer scheint nicht häufig unter 0° zu sinken und wirkliche Kälte ein-

zutreten, für welche sich dann aber auch der nicht mehr an sie gewöhnte Deutsche um so empfindlicher zeigt.

Die Physiognomie der Natur ist um diese Zeit eben so traurig und einförmig, als in unseren vaterländischen Breiten; die Bäume sind ihres Blätterschmuckes beraubt, der Boden, wenn der Schnee fehlt, mit einer rothbraunen Decke verwelkten Laubes bedeckt, der Himmel oft bewölkt und trübe, die Natur lautlos, still und ohne Leben. Hier und da mindert das Grün einer Fichte, eines dichten Rhododendron und Lorbeergebüsches oder einiger Stecheichen den einförmigen Charakter der Landschaft.

Der Frühling ist hier wie überall in Amerika eine sehr kurze Jahreszeit; denn nachdem das regnigte Wetter plötzlich aufgehört, werden die Tage schnell wärmer und die Pflanzenwelt fängt an sich zu regen und rasch zu entwickeln. Anfang April und zuweilen früher bedecken sich die Pfirsichbäume mit ihrem lichtrothen, dem Auge so wohlthuenden Blüthenschmucke, und die große blendend weiße Blüthe des Kernelkirschbaumes (Dogwood) wird jetzt zur schönsten Zierde der amerikanischen Wälder, noch bevor sie zu grünen beginnen. Mitte April entfalten sich die ersten jungen Blättchen, die unter den täglich mehr Wärme entwickelnden Sonnenstrahlen bald ein dichtes, schattiges Laubdach bilden, und aus dem Boden schießen nunmehr zahlreiche Pflanzen üppig empor.

Die Temperatur erreicht um diese Zeit zuweilen schon einen hohen Grad, so voriges Jahr am 11. Mai in den Nachmittagsstunden 23° R. Juni, Juli und August sind wohl als die eigentlichen Sommermonate zu betrachten, die sich durch auffallende Kühle der Nächte im Gegensatze zur Hitze des Tages auszeichnen. Die höchste, während des vorigen Sommers beobachtete Temperatur betrug 26° R., während Nachts und Morgens oft nur 8° Wärme waren, ein Umstand, der die Nächte erfrischend kühl, ja zuweilen kalt erscheinen läßt. Dieser Umstand wird zur größten Wohlthat für Jeden, der nach anstrengender Arbeit in der Hitze des Tages eines ruhigen Schlummers bedarf, um Kräfte zu neuer Thätigkeit zu sammeln, sowie auch der um diese Jahreszeit beinahe jede Nacht fallende ungemein starke Thau die Pflanzenwelt frisch und kräftig erhält. Sobald diese nächtliche Kühle ausbleibt, kann man mit ziemlicher Sicherheit auf baldiges Regenwetter rechnen. Gewitter sind in dieser Jahreszeit häufig und meist von starken Regengüssen begleitet.

Mit der Mitte September beginnt nun die lieblichste und ange-

nehmste Jahreszeit der hiesigen Gegend: der Herbst. Die beinahe noch ganz mit Wald bedeckte Landschaft gewährt nun in der mannichfaltigen Farbenpracht der welkenden Blätter einen überraschend schönen Anblick, zumal wenn an sonnigen Tagen, wie sie jetzt noch so häufig sind, die verschiedenen Farbentöne in den Strahlen der Sonne erglühend, sanft in einander verschmelzen und ein reiner tiefblauer Himmel sich über der Landschaft wölbt. Die Hitze des Sommers ist in eine angenehme Mitteltemperatur umgewandelt. Starke Morgennebel sind in diesen Monaten sehr häufig.

November und December scheinen den Uebergang zu dem sogenannten, oben schon abgehandelten Winter zu bilden. Im ersteren Monate fallen die Blätter, es wird täglich kühler und windige und regnige Tage stellen sich häufiger ein.

So angenehm nun auch im Ganzen dieses Klima ist, so kann doch nicht weggeläugnet werden, daß auch hier wie überall in den Vereinigten Staaten eine große Veränderlichkeit des Wetters und eine schnelle Aufeinanderfolge verschiedener, oft ganz entgegengesetzter Witterungszustände stattfindet, die auf manchen an größere Gleichförmigkeit gewöhnten Einwanderer anfangs einen unangenehmen Eindruck macht. Man gewöhnt sich jedoch bald an das hiesige Klima und hat bei einiger Vorsicht während der ersten Zeit, durchaus keine nachtheiligen Folgen für die Gesundheit zu fürchten. Die fast in allen Theilen der Vereinigten Staaten vorherrschenden Fieber findet man hier gar nicht, und alle deutschen Ansiedler, welche sich länger als ein Jahr hier befinden, versichern einstimmig, daß ihnen das Klima sehr zusage und sie sich kein anderes wünschten. Ich selbst habe mich noch nie so wohl befunden, als während der drei Monate, die ich in der Kolonie Wartburg verlebte, obgleich ich meinen Körper vielfachen, gänzlich ungewohnten Beschwerden und Anstrengungen aussetzte.

Die Vegetation ist eben so kräftig als mannichfaltig. Zahlreiche Gräser und krautartige Gewächse bedecken überall den Boden und bilden in den noch bewaldeten Strecken eine üppig grünende und blühende Pflanzendecke, den Wiesen unseres Vaterlandes vergleichbar; in der Nähe der Farms, wo der Boden schon einer Bearbeitung unterlag, herrschen die krautartigen Gewächse vor. Bekannte und unseren vaterländischen nahe verwandten Formen erinnern hier an die heimathlichen Fluren. Wilde Veilchen, Erdbeeren, Feldkümmel, Kreuzkraut, Kletten, Disteln, Wegebreit, Epheu, Königskerzen, zahlreiche Astern und Sonnendisteln sind allgemein verbreitet und sehr häufig. Ein

6

dichtes Grün von Bäumen, Büschen und Rankengewächsen faßt die Ufer kleinerer, im Sommer versiechender Bäche ein. Wilder Wein und Hopfen ranken sich hier bis in die Gipfel der Bäume empor und bilden mit dornigen Brombeergesträuchen an vielen Stellen undurchdringliche Dickichte. Die feuchten Ufer der Creeks (größerer meist nicht austrocknender Bäche) sind mit Stecheichen, immergrünenden Rhododendron- und Lorbeergebüschen besetzt, die im Juni und Juli durch ihren Reichthum an vollen rothen Blüthentrauben zur Zierde solcher Landschaften werden. Eine kräftig entwickelte Laubholzvegetation, der nur hier und da an den Ufern der Bäche und Flüsse etwas Nadelholz beigemischt ist, überdeckt die ganze Gegend bis auf die Gipfel der Berge hinauf. Verschiedene Arten Eichen, darunter die Weiß- und Schwarzeiche (White-Oak, Black-Oak), beide vorzügliches Bau- und Nutzholz liefernd, letztere noch durch die Anwendung ihrer Rinde in der Gerberei und Färberei wichtig, ferner der durch riesenhaften Wuchs und Nutzbarkeit seines Holzes ausgezeichnete Tulpenbaum (White-Poplar), die das vorzüglichste Brennholz liefernde graue Wallnuß (Hickory), der bekannte Zuckerahorn (Sugar-Maple) und die durch ihr, einer schönen Politur fähiges Holz ausgezeichnete schwarze Wallnuß (Black-Walnut), sind die häufigsten überall vorkommenden Waldbäume; und da sie zu ihrem Gedeihen stets einen sehr fruchtbaren, warmen, weder zu trockenen noch zu feuchten lehm- und sandhaltigen Boden, der in Amerika als vorzüglicher Weizenboden anerkannt ist, verlangen, so giebt ihr Vorhandensein in vorherrschender Zahl und in kräftigen Individuen den sichersten Beweis für die Kraft und Güte des hiesigen Bodens. Auch süße Kastanien (American Chestnut) finden sich überall mit genannten Baumsorten vermischt; ihr Holz ist hart, läßt sich leicht spalten und widersteht am Besten den abwechselnden Einflüssen von Hitze und Feuchtigkeit, weshalb es vorzugsweise zu Fenzriegeln verwendet wird. Mitunter ist die Kastanie vorherrschend und deutet dann kieshaltigen Boden an. Weniger häufig und meist nur in Thälern, wo eine tiefe, lockere Dammerde aufgehäuft ist, findet man die Persimone, die Sycamore, die gelbe Ulme (Red-Elm) und die Weißbuche. Die Krüppeleiche zeigt sich hier nur selten und nur in einzelnen Individuen. Außerdem sind noch der Kornelkirschbaum (Dogwood), der Tupelobaum (Black-Gum), der gewöhnliche Ahorn (Maple), der Sassafras, der Gurkenbaum (Pawpaw), der Storaxbaum (Sweet-Gum) und andere weniger wichtige Laubholzarten hier zu Hause. An Nadelhölzern findet man auf mehr trockenen, sandigen Stellen die Kiefer

(Black-Pine) in einzelnen, meist sehr schönen Exemplaren, und an den Flußufern die Weißtanne (White-Pine) und die Ceder.

Die Thierwelt der hiesigen Gegend ist sowohl für den Beobachter, als auch für den Ansiedler von großem Interesse und Nutzen. Ersterer findet ebensoviel Uebereinstimmendes als gänzlich Verschiedenes von der Europa's und namentlich Deutschlands. Die Furcht vor reißenden Thieren ist völlig unbegründet; denn äußerst selten kommen Wölfe vor, welche höchstens Schaafe, Schweine oder junges Rindvieh rauben. Bären, welche einzeln jeden Winter (im laufenden drei Stück) erlegt werden, leben gleich den deutschen fast ausschließlich von Wurzeln, Beeren, Vogeleiern, und im Herbste vorzüglich von den wohlschmeckenden Persimonen und Kastanien; blos bei anhaltendem Schnee rauben sie Schweine. Im Ganzen genommen sind solche Gäste nicht zu fürchten, da sie sich nur im Bereiche der Gebirge aufhalten und von den vortrefflichen amerikanischen Jägern bald erlegt werden. Ihr Fleisch, vorzüglich geräuchert, ist sehr geschätzt. Eine Luchsart (Wild-Cat) ist zwar häufig, lebt aber fast ausschließlich von Hasen. Fischottern halten sich in den Uferhöhlen größerer Bäche auf. Waschbären (Racoon) sind sehr häufig, thun zwar am Mais Schaden und verschmähen auch Hühner nicht, sind aber durch gute Verwahrung des Hühnerhauses leicht abzuhalten. Die virginische Beutelratte (Opossum) ist gleich einigen Marderarten für das Federvieh verderblich, jedoch werden sie durch gute Hetzhunde leicht gefangen, oder wenn dies nicht, doch vertrieben. Alle diese Thiere geben geschätztes Pelzwerk, das Opossum auch sehr guten Braten. Die in manchen Jahren die Hoffnungen des deutschen Landmannes fast ganz zu nichte machenden Mäuse sind sehr selten, Hamster giebt es gar nicht; Ratten, welche sich in die Gebäude eingeschlichen haben, sind durch Katzen im Zaume zu halten. Eichhörnchen, welche es in Menge giebt, sind die gewöhnliche Jagdbeute des deutschen wie des amerikanischen Jägers, und liefern ein äußerst zartes, wohlschmeckendes Fleisch. Hasen sind häufig und leben in hohlen Bäumen, sie sind viel kleiner als die deutschen. Murmelthiere kommen einzeln vor, ihr Fleisch schmeckt vortrefflich. Das größte Wild, der virginische Hirsch, ebenfalls bedeutend kleiner als der deutsche, ist noch häufig, trotzdem daß Jeder ihm nachstellt. Er liefert delikaten Braten, guten Schinken und eine vielfach brauchbare Haut.

Die Vögel, von denen es hier außerordentlich viele giebt, tragen nicht wenig zur Belebung der Gegend bei. Findet man auch gleich

die vortrefflichen Sänger, welche Europa aufzuweisen hat, nicht, so ersetzen sie doch dem Auge, was das Ohr entbehren muß, da viele von ihnen in dem herrlichsten Farbenschmucke prangen. Ich erinnere nur an die niedlichen Kolibris, von denen auch hier zwei Arten im Sommer erscheinen. Es giebt viele Raubvögel, und Falkenarten sind unabläßig bemüht, die zahmen Hühnervögel zu rauben. Eulen thun weniger Schaden, als man glaubt, ja, da sie die Zahl der Mäuse und Erdeichhörnchen noch vermindern, stiften sie eher Nutzen. Aasgeier vertilgen in Gesellschaft der Raben in kurzer Zeit jedes gefallene Thier, so daß Aas kaum bemerkt wird, denn ehe noch die völlige Verwesung eintritt, haben erwähnte Vögel die Knochen entfleischt. Der Rest wird von den Schweinen verzehrt, die selbst Rippen und Wirbel nicht verschmähen. Eine Schwalbenart, die Purpurschwalbe, ihres in Purpur und stahlblau schillernden Gefieders wegen so genannt, wird fast bei jeder Farm angetroffen. Sie ist der Wächter der Hühnerhöfe, da sie bei Erblickung eines Raubvogels demselben mit der größten Unerschrockenheit entgegenstürzt, durch Geschicklichkeit im Fliegen den Angriffen desselben ausweicht und durch ihr Geschrei, welches die Hühner sehr gut zu deuten wissen, diese warnt. So sieht man bei den Häusern Kästen nach Art unserer deutschen Staarkästen angebracht, oder hohle Flaschenkürbisse aufgehängt, worin diese Schwalbe ihr Nest baut. Spechte giebt es hier fünf Arten; sie sind durch Vertilgung zahlloser Insekten ungemein nützlich, nur der Rothkopf ist gehaßt, weil er weder jungen Mais noch Obst irgend einer Art verschont. Zwei Arten wilder Tauben, die karolinische, unserer Turteltaube ähnelnd, und die Wandertaube sind beide sehr wohlschmeckend. Erstere hält sich am Liebsten in der Nähe von Feldern und Häusern auf und ist blos im Winter, wo sie fortzieht, einzeln, sonst sehr häufig anzutreffen. Im October und im März berühren auch die Wandertauben auf ihrem Zuge das Gebiet der hiesigen Kolonie. Erscheinen sie nun auch nicht in solchen wolkenähnlichen Schwärmen, wie in den nördlichen Staaten, so sind sie doch häufig genug, um den Farmern zu diesen Zeiten reichlichen Jagdertrag zu verschaffen. Rebhühner giebt es in Menge, sie lassen einen an den Wachtelschlag erinnernden Ruf ertönen. Wilde Truthühner, das Gewicht von einigen zwanzig Pfund erreichend, sind häufig, ebenso Waldhühner, dem Weibchen des deutschen Birkhuhnes ähnlich und hier Phasans (Fasane) genannt. Wilde Enten halten sich auf den Flüssen auf, an deren Uferrändern Schnepfen, Becassinen, und andere Wadvögel nebst Reihern, worunter

der prächtig rosenrothe Löffelreiher, vorkommen. Drosseln sind häufig und zeichnen sich sowohl als Singvögel, als auch durch wohlschmeckendes Fleisch aus, welches dem der Krammtsvögel nichts nachgiebt.

Stärker als in Deutschland ist die Ordnung der Reptilien vertreten, da es hier allein einige zwanzig Arten Schlangen giebt, von denen aber, zum Troste der Einwanderer, nur vier Arten giftig und nicht so häufig sind, als man sich vorstellt. Ein Sammler von Naturalien, welcher im Sommer 1847 hier vorzüglich auf Jagd nach Klapperschlangen ausging, fand keine einzige und erhielt nur die Klapper einer getödteten. Die Furcht vor ihnen darf deshalb nicht so groß sein, da sie noch überdieß durch Schweine, welche sie unbeschadet fressen, immer mehr vertilgt werden. Eine fünf bis sechs Fuß lang werdende unschädliche Schlange, von den Amerikanern Black-Snake genannt, ist zwar häufig, lebt aber nur von Mäusen, Maulwürfen und Vögeln. Drei Arten von Eidechsen, überaus zierliche und schön gefärbte Thiere, halten sich längs der Fenzen auf, wo sie auf Insekten Jagd machen; sie sind völlig unschädlich. Zwei Arten Laubfrösche lassen von den Bäumen herab ihre helltönende, glockenähnliche Stimme erschallen, welche mit dem dumpfen Tone der Frösche und Kröten Konzerte bilden, die denen der deutschen Arten nicht nachstehen. Schildkröten sind ebenfalls hier, sowohl auf dem Lande, als in den Bächen. Auch sie vertilgen wie die meisten Reptilien unzählige schädliche Würmer und Insekten.

Die Flüsse sind reich an vielen Arten meist wohlschmeckender Fische, von denen der weit verbreitete Catfish der Güte seines Fleisches wegen am meisten geschätzt wird.

Von Insekten giebt es hier sowohl schädliche als nützliche. Zu letzteren gehören die fleißigen Bienen. An prachtvollen Schmetterlingen fehlt es nicht, so daß Liebhaber deren in Menge fangen können. Die, manche Theile der Vereinigten Staaten fast unbewohnbar machenden Muskitos findet man hier gar nicht, da es an stehenden Gewässern, Sümpfen und Gräben fehlt, in denen sich diese zur Landplage werdenden Thiere entwickeln könnten. Dafür sind einige Arten Bremsen, wie in Deutschland, sowohl Menschen als Thieren höchst lästig. Eine zweite Plage sind die sogenannten Holzböcke, Ticks und Seed-Ticks genannt, welche häufiger als in Deutschland sich an Menschen und Thiere anfangen. Vor Spinnen braucht man sich eben so wenig als vor Tausendfüßen zu fürchten, da beide unschädlich sind. Regen=

würmer sind bei weitem nicht so häufig als in Deutschland. Von Schnecken findet man nur eine Art in den Wäldern. Alle diese Unannehmlichkeiten sind glücklicherweise gegen die vielen durch Thiere herbeigeführten Plagen anderer Himmelsstriche und gegen die übrigen Vortheile der hiesigen Gegend so unbedeutend, daß sich durch sie Niemand abschrecken lassen darf, hier seinen Wohnsitz aufzuschlagen.

Beschreibung
der Kolonie Wartburg.

Wenn man, der Straße von Kingston nach Kentucky folgend, den Big-Emery überschritten und O'Armonds Farm hinter sich hat, so sieht man vor sich steil aufsteigende, dicht bewaldete Berge, die Wetzstone-Mountains, und zwischen diesen eine Schlucht, aus welcher ein reißender Fluß, der Little-Emery, hervorstürzt. Hier, ungefähr zehn Meilen von Kingston, ist die Grenze des Kantons Morgan und hier beginnen auch die Ländereien der Ost-Tennessee-Kolonisations-Gesellschaft, deren Mitglied und Direktor, Herr Georg F. Gerding, in New-York wohnt, im Frühjahre 1849 aber ganz nach Wartburg übersiedelt, um seine Kolonie selbst zu leiten und den Ueberschuß der Produkte aufzukaufen und auszuführen.

Eine von Ernst Weigel in Leipzig herausgegebene, ohne dessen Verschuldung sehr falsche Karte läßt vermuthen, daß diese Gesellschaft eine zusammenhängende Masse Ländereien von ungefähr 200,000 Acker besitze, dem ist aber nicht so.

Ganz Ost-Tennessee ist von der Staatsregierung in Blocks von 1000 Poles Länge und 894 Poles Breite vermessen und diese Blocks numerirt. Da 160 Quadrat-Poles einen Acker bilden, so enthält ein solcher Block 5583¾ Acker. Als diese Vermessung vorgenommen wurde, im Jahre 1836 oder noch früher, waren schon eine Menge Ländereien von einzelnen Farmern und Spekulanten entrirt, d. h. in Besitz genommen, diese Besitznahme bei den Behörden angemeldet und hierüber Besitztitel ausgestellt, auch diese Titel in jedem County in das Recordbuch eingetragen oder recordirt worden. Nach dieser Eintheilung wurden alle Staatsländereien für die Vermessungskosten ausgeboten und von Spekulanten blockweise in der Art entrirt, daß die Rechte aller früheren kleineren Entrees, welche in den jedesmaligen Block fielen, vorbehalten wurden. So kam es denn, daß mancher Besitzer eines Blocks blos 2000 Acker und so mehr oder weniger in demselben

sein Eigenthum nennen konnte. Aus den Besitztiteln des Herrn Gerding ersehe ich nun, daß die Kompagnie ihre Ländereien keineswegs vom Staate entrirt, sondern von verschiedenen Besitzern zusammengekauft hat, und daß innerhalb der auf solche Weise zusammengebrachten Blocks, eine Menge amerikanischer Farms, sowie unbebaute, auswärtigen Spekulanten zugehörige Ländereien liegen. Dieser Umstand war mir für mein Vorhaben nicht besonders gelegen, und ich wurde eben dadurch veranlaßt, auch noch andere Privatländereien anzukaufen, um eine Verbindung zwischen den verschiedenen, von der Kompagnie erworbenen Strecken herzustellen, denn auch hier in Morgan-County sind fast alle an den Hauptstraßen, oder doch an gut zugänglichen Punkten liegenden Ländereien bereits von Amerikanern in Anbau genommen.

So findet man denn nun, nachdem man die oben erwähnte, einige Meilen lange Schlucht passirt, den sich darin hinschlängelnden Little-Emery mehrmals überschritten und endlich mittelst eines sehr steilen und sehr schlechten, aber kurzen Stückes Weges auf die Höhe der Berge gekommen ist, die Straße bis Wartburg zu beiden Seiten mit mehr oder weniger angebauten Farms besetzt, von denen in der Nähe von Wartburg die meisten von deutschen Einwanderern angekauft wurden. Der Boden ist in den steilen Bergen an der Grenze des Kantons wohl der ärmste der ganzen Gegend und hier ziemlich sandig. Vorzüglich ist auf der abhängigen und tief ausgefahrenen Straße aller Humus durch Regengüsse abgespült, wodurch Sand und Kies so hervortreten, daß mancher zurückgekehrte Emigrant oder andere Reisende nach dieser Straße den ganzen Kanton beurtheilt zu haben scheint.

Je weiter man nach Wartburg zu kommt, desto angebauter wird die Gegend, der Boden behält jedoch immer denselben Charakter: Lehm mit starker Beimischung von Sand und schwacher Humusdecke. Demohngeachtet ist dieses Land, mit wenigen Ausnahmen, sehr bauwürdig, wie die im Besitz von deutschen Einwanderern befindlichen Strecken und besonders die bereits erwähnten Farms der Herren Neubert, Weißgerber und Weigel beweisen, wovon die beiden ersten sich vor Wartburg befinden, die letztere jenseits dieses Ortes nach dem Big-Emery zu liegt.

Ehe man noch Wartburg erreicht, kommt rechts eine Straße von Knoxville, dem 40 Meilen entfernten, starken Handel treibenden Hauptorte in Ost-Tennessee. Auch diese Straße ist, wie ich höre, zu beiden Seiten mit amerikanischen Farms besetzt, wovon vier durch die Herren

Knabe, Schlitt, Dr. Sienknecht und von Gehren angekauft wurden. Diese letzteren enthalten größtentheils sehr gutes Land.

Die Stadt Wartburg liegt auf einer Hochebene, an deren rechter Seite sich ziemlich hohe Berge erheben und links bis zu den steilen Ufern des Crocked-Fork und Big-Emery gewelltes Land befindet. Der Anblick derselben dämpft die, durch die durchschnittene, ziemlich angebaute Gegend gesteigerten Erwartungen bedeutend. Man sieht rechts einen großen leeren Platz, links an der Straße steht zuerst ein freundliches Haus, der Herrn Gerding zugehörige Store; darin wohnt jetzt Herr Friedrich Gerding jun. mit einem Kommis. Dann kommt ein ähnliches Haus, welches als Kirche und Schulhaus benutzt wird, auch ein Comptoir enthält, sonst aber unbewohnt ist. Hierauf folgt ein größeres Gebäude, ein deutsches Gasthaus, bis Anfang dieses Jahres Eigenthum der Kompagnie, seitdem in Besitz des zeitherigen Pachters übergegangen, dessen Familie aus noch fünf Personen besteht. Hier wohnt auch der Kompagniearzt Dr. Brandau. In einiger Entfernung steht ein kleines altes Blockhäuschen, bewohnt von einer Wittwe Bauerkeller; an dieses stößt ein nettes, dem Pastor Wilken zugehöriges Framhaus, bewohnt von diesem und dem Dr. Grämer mit Frau und vier Kindern. Diesem gegenüber steht ein sehr altes Blockhaus, welches abgebrochen werden soll und gegenwärtig dem alten Herrn von Kienbusch zur Wohnung dient. Rückwärts von diesem ist an der Ecke des zukünftigen Marktes ein ansehnliches, im Innern noch nicht vollendetes Framhaus, erbaut und bewohnt von einem Amerikaner Mstr. White mit Frau, sieben Kindern und einem Sklaven. Ein Stück hinter der Kirche, dicht am Walde und an dem Wege nach den Mühlen, steht das zur einstweiligen Aufnahme neuer Ankömmlinge bestimmte Kompagnie-Blockhaus, welches jetzt von ungefähr 25 Personen in fünf Familien bewohnt wird, wovon drei sich im Januar dieses Jahres einige Acker Land ankauften, zwei aber wenig Tage vor meiner Abreise erst ankamen.

Die Aussichten für Vergrößerung der Stadt sind nicht günstig. Die an der Kingstonstraße in der Nähe der Stadt wohnenden Farmer, sowie mehrere zerstreut umher wohnende Schweizer, treiben meistens neben dem Landbau noch eine Profession und versorgen die von ihnen abwärts wohnenden Farmer. Verkäufliches Land, in der Nähe der Stadt gelegen, ist wenig mehr vorhanden oder nur zu sehr hohem Preise, wie denn Herr Gerding von seiner eigenen Farm den Acker rohen Landes nur für 10 Dollar verkaufen will. Ein Stadtplatz von 80 Fuß Fronte, bei 120 Fuß

Tiefe (gleich 9600 Quadrat-Fuß oder 2400 Leipziger Quadrat-Ellen), kostet 25—50 Dollar. Unter solchen Umständen dürfte sich schwerlich ein Professionist entschließen, aufs Gerathewohl ein Haus zu bauen, und die umwohnenden Farmer können und werden nicht zum Vergnügen ein Haus in der Stadt errichten, so lange sie nicht sehr viel überflüssiges Geld haben. Bei meiner Abreise wurde mir versichert, daß in diesem Jahre mehrere neue Häuser erbaut würden, welche nur deshalb noch nicht in Angriff genommen wären, weil die Sägemühlen noch kein Bauholz liefern konnten.

Am Fuße der, der Stadt gegenüber liegenden Berge errichten jetzt zwei junge Männer aus Baiern, unter Mitwirkung eines Sachsen, eine Ziegelei; sie kauften ihr Land im Sommer 1848 von einem Schweizer und zahlten dafür bereits 4 Dollar per Acker.

Zwei Meilen südwestlich von Wartburg liegen am Crooked-Fork Herrn Gerdings Mühlen, eine eben erst vollendete Mais-Schrotmühle mit einem Gange, die noch einen Gang für Weizen und ein Beutelwerk erhalten soll, auch zur Anlegung einer Oelmühle eingerichtet ist, und die neue noch unvollendete Sägemühle, welche im Laufe dieses Frühjahres in Gang kommen und dann auch Hobel- und Schindelmaschine bekommen wird. Neben diesen Mühlen steht ein Haus, bewohnt von dem verheiratheten Erbauer derselben, nebst einigen ledigen Gehülfen. Etwas oberhalb derselben steht die alte, seit einigen Jahren im Gange gewesene Sägemühle, wobei der dieselbe benutzende Zimmermeister Greis mit seiner Familie wohnt. Diese Mühle soll abgebrochen werden, sobald die neue fertig ist.

Der Weg nach den Mühlen führt an den Farmen der Herren Graß, Gerding und Weißgerber vorbei. Ueber denselben in südwestlicher Richtung, gegen den Big-Emery, liegen siebzehn Farms, größtentheils zugehörig den vor drei und einem halben Jahre angekommenen ersten Einwanderern, welche durch Dr. Strecker in Mainz hierher versetzt wurden und sich im Ganzen recht wohl befinden. Einige darunter befindliche schlechte Subjekte haben jedoch ihre Farms bereits wieder verlassen und sind weiter gegangen. Noch weiter südwestlich, sieben bis eilf engl. Meilen von Wartburg, auf der rechten Seite des Big-Emery, befinden sich die Farms der Herren Maquinay, von Steinwehr, Schimmel, Mehlhorn, Töpel, Hedrich, Wieland, Dury und Blumfeld, und Lochmann und Mason, welche künftig zur Kolonie Neu-Chemnitz zu zählen sind. Diese Farmer haben mit Wartburg jetzt eine sehr beschwerliche Verbindung, da sie nur durch die Gefälligkeit des Herrn

Mehlhorn, der zwei Kanoes (lange schmale Kähne) besitzt, über den hier dreihundert Fuß breiten Big-Emery kommen können, weshalb sie mehr mit Kingston als mit Wartburg verkehren. Der Ueberfahrts-punkt über den Emery nebst Kanoes ist jetzt in meinen Besitz über-gegangen und ich werde nächstens eine Fähre anlegen lassen. Nahe an Wartburg in nordwestlicher Richtung findet man noch die Farms der Herren Weigel, Freitag und Lendi sowie mehrerer Amerikaner.

Verfolgt man die zuerst erwähnte Hauptstraße, so geht es gleich hinter Wartburg einen steilen Berg in zwei Absätzen hinunter nach dem, nur eine Meile entfernten, in einem engen unebenen Thale, dicht am Big-Emery gelegenen Städtchen Montgomery, dem Gerichtssitze des Kantons, mit dem Courthause, etwa zwölf bewohnten Häusern, darunter sechs Stores, und einigen Ställen, auch einer Brücke über den Big-Emery. Die Häuser dieses Städtchens sind klein und schlecht gebaut und unterscheiden sich wenig von den armseligen Häusern auf den hiesigen amerikanischen Farms. Die Stadt ist, mit Ausnahme eines deutschen Kaufmannes, des Herrn Branse, nur von Amerikanern bewohnt, worunter einige Beamte des County-Gerichts.

Hier geht abermals eine Seitenstraße am linken Ufer des Emery hinauf, die, wie man mir versichert, ebenfalls zu beiden Seiten von Amerikanern besetzt ist.

Sobald man auf der Hauptstraße den Big-Emery passirt hat, geht eine Straße rechts am Flusse hinauf, wo man einen Sachsen Namens Wagner findet; die Hauptstraße hingegen geht links bergauf, dann mit wenig Unterbrechung in westlicher Richtung ziemlich eben fort. Hier findet man zuerst links einen Deutschen, Namens Mierich aus Würtemberg, dann einige Amerikaner; hierauf links, eine Meile abwärts von der Straße, die Familie Bübler aus Baiern, welche mit mir heraufreiste, und sechs engl. Meilen über Montgomery in dieser Richtung den letzten Deutschen, Baron Forstner aus Stuttgart, welcher hier zu beiden Seiten der Straße 1500 Acker Land, davon 100 Acker geklärt, mit einem schön eingerichteten Hause, unstreitig dem schönsten in ganz Morgan-County, besitzt. Diesem Hause gegenüber geht links die in meinem Programme erwähnte Seitenstraße nach Washington ab, welche durch Herstellung einer Brücke über den vier Meilen entfernten Obeds-River und Besserung des Weges zu einer Hauptstraße werden muß. Am Ende dieser Farm ist ein weites Thal, in welchem sich die Straße theilt. Nördlich geht die Hauptstraße nach Kentucky über Jamestown, dem noch 21 engl. Meilen entfernten Gerichtssitze

7*

von Fentreß-County, und nach Gainesborough, am schiffbaren Cumberland-River. Südwestlich führt die Straße nach Nashville, der ebenfalls am Cumberland gelegenen Hauptstadt von Tennessee, welche von Wartburg 140 engl. Meilen entfernt ist.

Hier, auf der Höhe wo sich die Straßen kreuzen, ist der Punkt, wo ich die Stadt Marienberg anzulegen beabsichtige, zu welchem Zwecke ich vom Baron Forstner 700 Acker, meist ganz ebenes Land, erkaufte, an welche dann nördlich und nordwestlich 25,000 Acker, von der Kompagnie erworbenes, vom Rock-Creek und Clear-Creek durchflossenes Land grenzen.

Das Land jenseits Montgomery an der Nashville- und Kentucky-Straße, sowie am Rock-Creek ist wenig bergig, sehr abwechselnd in Bodengüte, doch im Allgemeinen besser als um Wartburg, und ich habe links von der Nashville-Straße große Strecken gefunden, wo durchgängig 1½—2 Fuß Humus vorhanden war. Herr Bühler, ein tüchtiger Landwirth, der die baierische silberne Verdienstmedaille wegen seiner landwirthschaftlichen Kenntnisse erhielt, hat seine Farm von ungefähr 400 Ackern für 800 Dollar gekauft und versicherte mir später, daß er sie für 1800 Dollar nicht wieder hingeben würde, weil sie zu schönes Land enthielte. Südlich an der rechten Seite des Big-Emory wird, wie schon gesagt, der Boden immer besser und arme Stellen kommen immer seltener vor. Eigenthümlich ist es, daß oft auf den Bergen der Boden besser ist als in den Thälern und daß besonders die Nord-Nordost- und Nordwestseiten der Berge stets auffallend besseres Land enthalten, als ihre Süd-Südost- und Südwestseiten.

Eine Zählung der deutschen Bewohner der ganzen, zu Wartburg gerechneten Ansiedlung am Ende des Jahres 1848, ergab 475 Köpfe.

Der Pastor wird jetzt noch von der Kompagnie mit 200 Dollar jährlich besoldet, und eine Dotation der Kirche mit Land ist versprochen, aber noch nicht erfolgt. Auch der Schulunterricht wird vom Pastor mit besorgt, er soll dafür Schulgeld bekommen. Es besteht hier durchaus kein Zwang, die Kinder zur Schule zu schicken.

Der Koloniearzt Dr. Brandau erhält ebenfalls von der Kompagnie einen Zuschuß von jährlich 250 Dollar, um armen Kolonisten für billige Vergütung, oder ganz unentgeldlich, ärztliche Hülfe zu leisten.

Der erste zur Leitung der Ansiedlung angestellte Agent der Kompagnie, Herr Günther aus Dresden, ist der eigentliche Gründer der Stadt Wartburg. Er wird allgemein als ein liebenswürdiger, rechtlicher Mann geschildert, der nur leider mehr Theoretiker als

Praktiker war und deshalb bei Gründung der Stadt und Kolonie viele Mißgriffe beging, die theils der Kompagnie unnöthigerweise schweres Geld kosteten, theils noch jetzt auf das Gedeihen der Kolonie hemmend einwirken. Ich erwähne hier nur, daß er das zur einstweiligen Aufnahme der Einwanderer bestimmte Blockhaus mit sehr bedeutenden Kosten bauen, darin drei große Zimmer im Erdgeschoß und eben so viel im ersten Stock anlegen ließ, wovon jedes ein Fenster, aber weder Ofen noch Kamin hat, und daß auch im ganzen Hause kein Schornstein befindlich ist, weshalb die Bewohner zu jeder Jahreszeit im Freien kochen müssen und im Winter nicht heizen können; ferner: daß er sämmtliche eingewanderte Handwerker auf Farms setzte und nicht in die Stadt, und daß er, um diesen Leuten Arbeit zu verschaffen, 400 Acker Wald mit einem Zaune (Fenz) umgeben ließ, wofür er aus der Kompagniekasse 1300 Dollar Arbeitslohn bezahlte. Seit zwei Jahren hat er in der Nähe von Kingston eine Farm, wo er verlassene Eisenwerke in Gang bringen will, doch ist der Platz so unglücklich gewählt, daß die Hochwasser des Little-Emery seine Anlagen immer wieder wegreißen. Im vorigen Sommer hat er mit Landspekulanten in Kingston, den Herren Gillespie und Mac Ewen (Mäckjuhn), einen Vertrag geschlossen, wonach er ihre Ländereien gegen 15 % Provision an sächsische Auswanderer absetzen soll, und reiste zu diesem Zwecke im Herbste 1848 auf Kosten genannter Herren nach Sachsen zurück. Sein Nachfolger, Herr Otto von Kienbusch, ein sehr gewandter junger Mann aus dem sächsischen Voigtlande, besitzt bedeutende praktische Kenntnisse und hat die Geschäfte der Kompagnie jedenfalls mit Vortheil für dieselbe besorgt. Er ist vielfach privatim und öffentlich geschmäht worden, doch gewiß meistens mit Unrecht, da ihm wohl nur zur Last gelegt werden kann, daß er die Kompagnie-Ländereien gegen die angekommenen Einwanderer zu sehr rühmte und zum höchsten Preise abzusetzen suchte, was in seiner Stellung doch nur seine Pflicht war. Da Herr Gerding jetzt die Verwaltung der Kolonie-Ländereien selbst übernimmt, so wird ein Agent unnöthig, weshalb Herr von Kienbusch sich auf eine ihm zugehörige Farm zurückzieht.

Die meisten Bewohner der Kolonie Wartburg sind vor wenig Jahren arm angekommen, befinden sich aber jetzt wohl; einige, die sich durch Fleiß und Umsicht auszeichnen, sind bereits auf dem Wege zu größerem Wohlstande. Diejenigen, welche mit ziemlichen Mitteln hier ankamen, begingen fast alle den Fehler, zu viel Land zu kaufen,

wodurch sie sich der Mittel beraubten, ihre Wirthschaft mit größerem Vortheil zu betreiben; auch waren es zum Theil Leute, die von der Landwirthschaft gar nichts verstanden und deshalb noch ohne großen Nutzen arbeiteten.

Eine ziemliche Anzahl der Kolonisten besteht aus gebildeten Leuten, die schon ein recht angenehmes Gesellschaftsleben führen. Die vielen Bedürfnisse der Ansiedler, welche zum Theil nur Befriedigung aus den in Wartburg und Montgomery befindlichen Stores erhalten können, sowie die Kirche in Wartburg, geben oft Veranlassung, daß die sehr zerstreut wohnenden Farmer sich in letzterem Orte zusammenfinden; auch existirt bereits zwischen einigen Familien ein Sonntags-Nachmittags-Kränzchen oder Club, und man spricht viel von Errichtung eines Casino mit eigenem Gesellschaftsgebäude. Die minder gebildeten Kolonisten habe ich am letzten Neujahrstage im Gasthofe sehr vergnügt gesehen, wo sie nach den Tönen einer Klarinette lustig tanzten. Aber auch die Amerikaner der Umgegend hielten an Weihnachten im Hause des Herrn White, der ebenfalls eine Gastwirthschaft führt, einen Ball, wo nach einer Violine zwei Tage und zwei Nächte getanzt wurde.

Die Landwirthschaft
in
Morgan-County.

Der Landbau wird hier noch auf eine äußerst nachlässige Weise betrieben. Der hiesige amerikanische Farmer kennt nur wenig Bedürfnisse und arbeitet deshalb nur, wenn er es nicht vermeiden kann, dann aber auch mit eisernem Fleiße und merkwürdiger Geschwindigkeit und Geschicklichkeit. Dieser Fleiß entsteht jedoch nur aus dem Verlangen, sobald als möglich wieder von der Arbeit loszukommen; an Ausdauer ist nicht zu denken, er wird im Gegentheil stets dem Grundsatze treu bleiben, mit möglichst geringer Anstrengung sein Leben zu machen, und deshalb Alles unterlassen, was anhaltender Arbeit bedarf. Viehzucht, die hier gar keine Arbeit erfordert, ist sein Haupterwerbszweig, Landbau wird nur nebenbei betrieben, um Brod für sich und seine Familie, und allenfalls noch so viel Mais zu ziehen, daß er sein Vieh im Winter nothdürftig vor Hunger schützen kann. Ein Blockhaus, 16—20 Fuß lang, 12—16 Fuß tief, von rohen Baumstämmen zusammengesetzt, die Fugen nachlässig verstopft, so daß der Wind fortwährend freien Ein- und Ausgang hat, dient ihm zur Wohnung. Es bildet in der Regel ein Zimmer, mit zwei, aus Bretern roh zusammengenagelten Thüren, vorn und hinten sich gerade gegenüber angebracht. An dem einen Giebel ist ein Kamin aufgebaut, worin stets ein großes Feuer mit ganzen Blöcken frisch abgehauenen Holzes unterhalten, und dabei mit sehr wenigem einfachen Geschirre von Eisen oder Blech gekocht und gebacken wird. Der Kamin ist mitunter von Steinen erbaut, meistens aber von rohen Holzblöcken, unten mit Steinen ausgelegt und oben die Fugen mit Lehm verstrichen. Neben dem Kamine sind an der Wand einige Bretstücke be-

festigt, worauf die wenigen Teller, Tassen und Gläser aufbewahrt werden; eine Art von Küchenschrank gehört zu den Seltenheiten. Ferner findet man in diesem Zimmer einen rohen Tisch, einige sehr niedrige, höchst armselige Stühle, einige breite, rohe Bettstellen, darauf Matratzen, gefüllt mit den Blättern, welche die Maisähren umhüllen (Shocks), weiße baumwollene Betttücher und wollene oder wattirte Decken. Federbetten werden, wo dergleichen vorhanden sind, nur zu Unterbetten benutzt. An irgend einem Platze im Hause, gewöhnlich neben einer Thüre, steht ein Eimer mit Wasser nebst einem, aus der Schale einer besondern Kürbisart gefertigten Trinkgeschirr. Die wenigen geringen, größtentheils selbstgefertigten Kleider der Familie hängen an den Wänden, an denen man mitunter auf einem Brete auch etwas Wäsche zur Schau ausliegen sieht. Mindestens eine sehr lange und schwere Büchse, welche sehr kleine Kugeln schießt, hängt in jeder Hütte. Das Haus hat selten ein Fenster, gewöhnlich stehen beide Thüren offen, oder es ist auch wohl ein Loch statt eines Fensters angebracht. Die hiesigen Amerikaner scheinen überhaupt gar nicht zu wissen, wozu eine Thüre vorhanden ist; ich habe gesehen, wie sie bei starker Kälte beide Thüren offen hatten, am Kaminfeuer saßen und ein Stück Kattun von der Decke nach den Dielen angespannt hatten, um sich vor dem schneidend kalten Winde zu schützen, der eben wehte, während sie diesen Zweck einfach dadurch hätten erreichen können, daß sie wenigstens eine Thüre zumachten. Ein anderes Mal passirte ich spät Abends bei heftigem Schneegestöber und ziemlicher Kälte durch Montgomery und bemerkte, daß man in einem Hause sogar Stühle vorgesetzt hatte, damit der Wind die Thüre nicht zuschlagen konnte, während ein alter Mann neben der Hinterthüre bei Licht schrieb und die Familie am Feuer stand und saß, und sich wärmte; auch ist es Thatsache, daß ein Amerikaner, so oft er bei einem Deutschen ein- und ausgeht, niemals die Thüre zumacht.

Eine ordentliche Decke von Bretern mit einer Treppe aus dem Zimmer in den Dachraum findet man selten, meistens liegen nur über einem Theile des Hauses einige rohe Breter auf eben so rohen Balken, und dienen so zur Aufbewahrung einiger Vorräthe an Mais, getrockneten Aepfeln und Pfirsichen; man steigt in der Regel auf einer Leiter hinauf. Das Dach ist von Schindeln, die Dielen bestehen aus behauenen Baumstämmen, oder aus Bretern, die nur selten durch Nägel an ihre Unterlage befestigt sind. Mitunter, aber sehr selten,

ist auch im Zimmer durch Breter eine Abtheilung für die Betten angebracht, welcher ein Vorhang als Thüre und ein offenes Loch als Fenster dient.

Jeder Farmer besitzt auch eine Küche für den Sommer; sie steht einige Schritte vom Wohnhause entfernt, ist ganz so gebaut, wie dieses, nur kleiner, noch schlechter gegen Luftzug verwahrt und regelmäßig ohne Decke. Vor dem Kamin ist im Erdboden ein mit einigen losen Bretern bedecktes Loch, worin die geringen Vorräthe von Kartoffeln und Bataten aufbewahrt werden. In dieser Küche steht auch ein sehr einfacher Webstuhl, ein Spinnrad und eine Krempel, deren sich die Frauen bedienen, um die wenige selbsterbaute Baumwolle und die geringe Ausbeute von Schaafwolle zu spinnen und zu Kleiderstoffen für den Bedarf der Familie zu weben. Ein drittes Gebäude ist das Smokehaus; auch dieses ist von rohen Baumstämmen erbaut, schlecht verstopft, ohne Decke, mit einem Schindeldache und einer kleinen Thüre am Giebel. Es ist acht Fuß lang, sechs Fuß breit, hat im Innern eine Bank von Pfosten oder behauenen Baumstämmen, worauf das frische Schweinefleisch eingesalzen wird, und oben einige Querstangen, woran dieses Fleisch, nachdem es einige Zeit im Salze gelegen, aufgehangen und mittelst eines auf dem Boden der Hütte angemachten, von Zeit zu Zeit unterhaltenen Feuers von allerhand schlecht brennenden Stoffen geräuchert wird. In diesem Hause werden auch die Vorräthe an Milch, Butter und Fett aufbewahrt und dazu selbstausgehauene Tröge benutzt.

Neben oder um diese Häuser ist eine Fenz (Zaun von übereinandergelegten, gespaltenen Stangen) angebracht, welche als Aufenthalt für die Kälber dient. Eine oder zwei armselig zusammengebaute Hütten von übereinandergelegten Baumstämmen, worin alle Fugen offen sind, mit einem größeren Loche als Thüre, dienen Pferden, Kühen und Schweinen zum Aufenthalte, wenn sie freiwillig vor Kälte und Unwetter Schutz suchen. Ein kleiner Raum von wenigen Quadratfuß, mit Fenzriegeln umsetzt, wird benutzt, um zuweilen einzelne Schweine besonders fett zu mästen. In geringer Entfernung vom Wohnhause befindet sich eine Quelle, welche den Bedarf von Trink- und Kochwasser liefert. Um alle diese Gebäude und Räume herum liegen dann die bebauten Felder.

An Vieh besitzt jeder Farmer wenigstens ein Pferd, einige Milchkühe, einige Stücke junges Rindvieh zur Mast, meistens ein paar Zugochsen und eine große Menge Schweine. Letztere laufen Sommer und Winter im Walde herum, werfen zu jeder Jahreszeit Junge,

8

von denen im Winter eine ziemliche Anzahl verhungern, erfrieren oder von den Alten erdrückt und sofort gefressen werden. Pferde und Ochsen bekommen ein wenig Futter von Mais und Maisblättern, müssen sich aber das Meiste in Wald und Fenz selbst suchen. Die Kühe bekommen nur etwas Salz und bei hartem Froste einige Maisblätter. Die Kälber werden, so lange sie saugen, in den sogenannten Kälbergarten eingesperrt und im Winter ebenfalls ein Wenig mit Maisblättern gefüttert. Früh und Abends kommen die Mütter herzu, um die Kälber saugen zu lassen; kaum haben diese angefangen, so werden sie weggejagt, die Kühe oberflächlich gemolken und dann wieder den Kälbern überlassen, welche die noch vorhandene Milch aussaugen, worauf die Kühe wieder in den Wald gehen. Die Milch wird meistens frisch oder zum Kaffee getrunken, doch machen einige Farmer, die etwas mehr Milchkühe halten, auch Butter.

Die gewöhnlichen Nahrungsmittel bestehen aus einer Art Brod oder Kuchen von geschrotenem und dann gesiebtem Mais, welches zu jeder Mahlzeit in einer eisernen Pfanne am Kaminfeuer frisch gebacken und warm verzehrt wird. Dann täglich dreimal Schweinefleisch, in derselben Pfanne geschmort oder in einem eisernen Kessel gekocht, Bataten und wenig Kartoffeln in der Schale gekocht, weiße Bohnen, etwas Kraut, eine Art weiße Rüben (Turnips), getrocknete Aepfel und Pfirsichen als Gemüse, auch wohl als Luxusartikel eine Art kleiner Kuchen von Weizenmehl und Milch oder Wasser. Zum Getränke dient früh und Abends Kaffee, Mittags frische Milch, außerdem Wasser und Whisky.

Zu Erzeugung dieser einfachen Bedürfnisse bedarf es freilich nicht viel. Ein junger Mann bekommt vom Vater einige Stücke Vieh, etwas Lebensmittel und ein Stück rohes Land. Er klärt einige Acker, indem er das Unterholz mit der Wurzelhaue aushaut, alle Bäume unter einem Fuße Durchmesser mit der Axt umschlägt und die stärkeren gürtelt, das heißt: einen Ring durch die Rinde haut, so daß sie absterben und nach und nach vom Winde umgerissen werden. Das umgehauene Holz wird zusammengeschleppt und verbrannt, zuvor aber hübsche gerade Stämme zur Erbauung der bereits beschriebenen Häuser und Ställe ausgesucht, zugehauen und dann diese Gebäude mit Hülfe der Nachbarn aufgerichtet. Schindeln werden von Weißeiche gemacht, Breter zu Dielen und Thüren aus Kiefer oder Poplar gespalten, oder in der nächsten Sägemühle geschnitten. Wirthschaftsgeräthe macht er sich ebenfalls nach und nach selbst und besitzt eine große Geschicklichkeit,

Alles mit den einfachsten Werkzeugen herzustellen. Auch sein Eisenzeug schmiedet er meistens selbst: in Ermangelung eines Amboses dient dazu eine Axt in einen Klotz oder in die Thürschwelle eingehauen, am Kaminfeuer wird ein Stück Eisen glühend gemacht und ihm mit einem gewöhnlichen Hammer die gewünschte Form gegeben.

Das geklärte Land wird nun zuerst mit einem Zaune umgeben, welcher aus 11 Fuß langen, 4 Zoll starken Holzstücken (Rails), die er aus Kastanie oder Eiche spaltet, zusammengesetzt wird, damit das frei herumlaufende Vieh nicht hineingehen kann; dann pflügt er es mit einem einfachen Pfluge ohne Räder, hier Kultivator genannt, den er sich auch selbst baut, und pflanzt nun Mais (Corn), weiße Rüben (Turnips), süße Kartoffeln (Sweet-Potatoes), vielleicht auch einige gewöhnliche Kartoffeln (Irish-Potatoes), wodurch er Lebensmittel für sich und Futter für sein Vieh auf das nächste Jahr gewinnt. Um dem Viehe gute Weide für den Sommer zu verschaffen, brennt er Anfangs März den Wald aus; er zündet nämlich das dürre Laub an, welches oft sechs Zoll hoch daliegt, worauf große Strecken in Brand gerathen, und nicht nur das Laub, sondern auch alles junge Unterholz vernichtet wird. Auf solchen ausgebrannten Stellen schießt schnell üppiges Gras auf, wovon das im Winter ganz abgekommene Rindvieh in wenigen Monaten speckfett wird. Die Schweine müssen sich im Frühjahre und Sommer mit dem behelfen, was sie eben finden, und vertilgen in dieser Zeit Schlangen und anderes Gewürm; bald erlangen sie aber auch überreichliches Futter durch die abfallenden Eicheln, Kastanien, Wallnüsse, Persimonen und anderen Früchte, und sind bis zum December gut gemästet. Hat der Farmer viel Korn erbaut, so füttert er einige Schweine noch zwei oder drei Wochen, um viel Schmalz zu erlangen. Im Winter werden Schweine geschlachtet und geräuchert, damit für den Sommer Fleisch vorhanden ist. Im Frühjahre und Herbste wurden bereits wieder einige Acker geklärt, die nun im nächsten Jahre mit bebaut werden; auch das erste Land wird wieder mit Mais bestellt, und so geht es alle Jahre fort, bis das Land, zum Kornbau untauglich geworden, noch einmal mit Hafer bestellt und nach Einerntung desselben liegen gelassen wird. An Düngung wird nicht gedacht. Im Herbst und Winter thut der hiesige Amerikaner nichts weiter, als den täglichen Bedarf an Feuerholz hauen und herzuschaffen, in die Mühle reiten und auf die Jagd gehen, die übrige Zeit sitzt er am Kamine, wobei er stets Tabak kaut und den Saft ins Feuer spuckt.

8*

Hat er nun seine Wirthschaft einigermaßen in Stand und schon durch Verkauf von fettem Vieh etwas Geld gemacht, so nimmt er sich eine Frau, die ihm seine Kühe besorgt, die Wäsche reinigt, Kleider verfertigt und bei alle dem im Schaukelstuhle sitzt und ihr Pfeifchen raucht. In Feld und Wald arbeitet die Frau nie. Die Kinder bleiben sich und ihrem Willen überlassen, fangen an die Axt zu schwingen, sobald sie diese erheben können, klettern auf die frei herumlaufenden Pferde und reiten ohne Sattel und Zaum, schießen nach dem Ziele in einem Alter, wo unsere Kinder noch keine Büchse angreifen dürfen und auch nicht erheben können, wodurch sie nächst den Kentuckyern die besten Schützen der Vereinigten Staaten werden, haben keine Schule und lernen doch lesen und mitunter auch schreiben, und fangen sobald als möglich ihre eigene Wirthschaft an, wobei sie sich gewöhnlich in der Nähe des Vaters ansiedeln, oder wenn da kein Land mehr ist, sich durch Handarbeit etwas verdienen und dann nach dem Westen gehen.

Auf diese Weise sichert sich hier zu Lande Jeder frühzeitig seine materielle, wenn auch rohe Existenz, mit welcher ihm eine Unabhängigkeit und Selbstständigkeit zu Theil wird, wie sie der deutsche Landmann niemals kennen lernt. Bettler und Almosenempfänger giebt es deshalb hier nicht.

In allzugroßer Nähe bei einander mögen die Amerikaner nicht wohnen, sie lieben weiten Wald um sich herum, damit ihr Vieh Raum zur Weide hat. Dies ist wohl auch der Grund, warum sie, seit die deutsche Einwanderung hier begonnen hat, sehr gern ihre Farms verkaufen und in unbewohntere Gegenden, meistens in die westlichen Staaten ziehen.

Das im Vorstehenden entworfene Bild gilt jedoch nicht ohne Ausnahme. Es giebt auch Farmer, welche große, gut eingerichtete Wirthschaften besitzen, und diese theils durch gemiethete Arbeiter, theils durch Sklaven bebauen. Diese haben meistens sehr große Rindviehheerden, die sie das ganze Jahr hindurch in unbewohnten Gebirgsdistrikten unter Aufsicht eines ärmeren Amerikaners weiden lassen, und davon jährlich einmal an umherreisende Viehhändler bedeutende Partieen verkaufen. Bei solchen Farmern, deren es aber in der hiesigen Gegend nicht viele giebt, sind auch die Felder besser bearbeitet, obwohl auch sie durchaus nicht düngen, sondern durch vieljährige Brache das Land wieder zu Kräften kommen lassen. Gewöhnlich bauen sie etwas Weizen, Hafer und sogar Roggen zum eigenen

Gebrauche und so viel Korn, daß sie davon ziemlich viel verkaufen können. Man findet bei ihnen etwas bessere Häuser und besser eingerichtete Hauswirthschaften; doch geht auch bei ihnen die Thüre zu jedem Zimmer ins Freie und steht immer offen, auch bei ihnen ist ein Kochofen ein unbekanntes Ding und ihre Hauptbeschäftigung während sechs Monate des Jahres besteht ebenfalls darin, auf die Jagd zu gehen und am Kamin zu sitzen und ins Feuer zu spucken.

Bei solcher Wirthschaft, welche nur darauf berechnet ist, mit möglichst wenig Arbeit die nothwendigsten Lebensbedürfnisse zu erzeugen, wird der deutsche Ansiedler allerdings auch dieses Ziel erreichen, aber Reinlichkeit, Bequemlichkeit, geselliges Leben und alle höheren Lebensgenüsse gehen gänzlich verloren, die geistige Ausbildung der Kinder unterbleibt und sie werden endlich ganz den hiesigen Amerikanern gleich, wie bereits hier Beispiele vorhanden sind.

Um dies zu vermeiden, ist es nothwendig, daß die deutschen Einwanderer mit allen Kräften dahin streben, deutsche Einrichtungen und deutsche Sitte beizubehalten. Dies ist aber nur möglich durch enges Zusammenwohnen und dieses bedingt wieder gänzliche Umwandlung des hiesigen Landbaubetriebes. Sehr irren würden aber Diejenigen, welche meinen, eine solche Umwandlung sogleich vornehmen zu können, denn noch konnte hier kein deutscher Kolonist deutsche Wirthschaft mit Düngererzeugung durch Stallfütterung einführen, weil noch nie Futterkräuter angebaut wurden, und weil es bei Urbarmachung rohen Landes zu viele Einrichtungen und Ausgaben verursacht hätte. Diese Wirthschaft kann nur nach und nach eingeführt werden und jeder Ankömmling ist genöthigt, im Anfange die Landwirthschaft nach amerikanischer Art zu betreiben. Er muß aber die lange Zeit, wo der Amerikaner im Felde gar nichts thut, wo aber demohnerachtet die Witterung der Arbeit im Freien günstig ist, benutzen, um Viehställe und Scheuern zu erbauen, die Felder durch mehrmaliges tiefes Pflügen von Wurzeln und Unkraut zu reinigen und somit für lohnenden Anbau deutscher Getreidearten vorzubereiten, Wiesen anzulegen, das Waldlaub zu Streu anzusammeln, statt es zu verbrennen, neue Stücke Waldland zu klären und das davon abgehauene Holz nicht auf dem Platze verbrennen, sondern Nutzholz gebende Klötze zu späterem Gebrauch liegen lassen, das Uebrige zu Brennholz aufstapeln, damit er nicht, wie der Amerikaner, täglich frische Bäume umhauen und diese grün verbrennen muß. Neues Land giebt immer, und besonders wenn mit den Früchten gewechselt wird, ohne Dünger mehrere Jahre

gute Ernten, wenn aber nach Verlauf von fünf bis sechs Jahren Dünger nöthig wird, so muß bis dahin die Wirthschaft so weit eingerichtet sein, daß es nicht mehr daran fehlt. Junges Rindvieh und Schweine mögen immerhin im Walde und Brachfelde ihr Futter suchen, aber Milchkühe und Zugthiere müssen so bald als nur immer möglich in guten Ställen untergebracht werden. Ich glaube, daß die Wirthschaft des, im Herbste 1847 in Wartburg angekommenen Herrn Weigel jedem Einwanderer zum Muster dienen kann, da sie unstreitig am zweckmäßigsten eingerichtet ist und dieser Mann rastlos an Verbesserung seines Landes arbeitet. Auch die erst im letzten Herbst angekommenen Herren Neubert und Bühler haben bereits Einrichtungen getroffen, woran zu erkennen ist, daß sie vorzügliche Landwirthe sind. Alle Drei wollen schon in diesem Jahre die Schaafzucht im Großen anfangen.

Obgleich nun, aller Wahrscheinlichkeit nach, der Anbau deutscher Getreidearten weit besser lohnen wird, als der Anbau von Mais, so dürfte er doch nicht genügen, um schnell den Erfolg herbeizuführen, den man gewöhnlich von einer Ansiedlung in Amerika erwartet. Deshalb muß der, jetzt schon am meisten lohnenden Viehzucht, die größte Aufmerksamkeit zugewendet und zu deren Beförderung Futterkräuterbau vorzüglich betrieben und die Raçen möglichst veredelt werden. Aber noch ein wichtigeres Mittel zur Beförderung des Wohlstandes ist der Anbau von Handelsgewächsen, wozu sich hier Boden und Klima sehr eignen. Vor allen andern ist Tabaksbau schwunghaft zu betreiben, da dieser unbedingt den reichsten Ertrag giebt, und ich habe deshalb meine, weiter unten folgenden Berechnungen, hauptsächlich auf den Anbau dieses Artikels begründet. Nächst diesem dürfte Hopfen und Weinbau zu berücksichtigen sein, sowie auch der Anbau von Medicinalkräutern, als: römische Kamille, Anis u. s. w., zu versuchen ist.

Der Landwirth hat jedoch bei allen seinen Unternehmungen darauf zu rechnen, daß der Arbeitslohn sehr hoch ist, in der Regel für gemeine Handarbeiter täglich ½ Dollar, in der Ernte auch wohl noch mehr. Er darf sich daher nicht mehr vornehmen, als wie er mit seiner Familie selbst ausführen kann, und aus eben diesem Grunde genügt auch der Besitz von 50—100 Acker. Nur Derjenige, welcher schon Anfangs reichliche Mittel besitzt, um die Kultur des Landes kräftig zu betreiben und sich die in Amerika häufig erfundenen Hülfsmaschinen für den Landbau anzuschaffen, mag sich eine größere Strecke

Land kaufen. Ohne solche Maschinen kann größere Landwirthschaft nicht nutzenbringend betrieben werden. Man hat deren zum Bearbeiten des Landes, zum Säen, zum Ernten, Dreschen und Reinigen des Getreides und sind dergleichen stets in New-York vorräthig.

Die genauen Forschungen, welche ich über den Ertrag des hiesigen Landbaues anstellte, haben mir nur Resultate über die Hauptfrucht, den Mais, dann über Kartoffeln, Tabak und Viehzucht gebracht. Weizen, Roggen und Hafer ist zwar schon länger von Amerikanern angebaut worden, aber stets nur in kleinen Quantitäten zum eigenen Gebrauche, und ich konnte nirgends erfahren, wie sich Aussaat und Ernte zu einander und zu dem dazu verwendeten Lande verhielten; nur so viel wurde mir überall gesagt, daß man diese Früchte sehr dünn säen müßte, wenn sie gerathen sollten, z. B. Weizen nur 1—1¼ Bushel auf den Acker, was für den sächsischen Acker von 300 Quadrat-Ruthen etwa 8—10 Dresdner Metzen giebt. Ich habe mehrere im letzten Herbste auf diese Art besäete Stücke gesehen, so bei einem Schweizer, bei Weißgerber und beim Baron Forstner, welche alle wunderschön stehen. Alle übrigen deutschen Getreidearten, sowie auch Oelfrüchte sind hier noch nie angebaut worden. Klee sah ich bei Weigel ein sehr schönes Stück; er hat ihn im vorigen Jahre in Hafer gesäet, will schon mit dem Hafer einen Schnitt von 12 Zoll Länge, dann nach der Hafer-Ernte noch einmal Heu gemacht und die Stoppel noch lange als Viehweide benutzt haben, und zwar in ausgebautem Lande ohne Dünger. Von den Amerikanern wurde Klee nie gebaut. Kraut und Rüben wurden nur in Gärten gezogen, letztere mitunter auf kleinen Strecken neuen Landes; Zwiebeln gedeihen vorzüglich, Kraut ist auch von einigen Deutschen versucht worden, aber nirgends gut gerathen; nur ein Deutscher, Herr Gschwend, soll ganz vorzügliches Kraut erbaut und den Kopf für 5 Cent verkauft haben. Bohnen, Kürbisse und Melonen werden häufig erbaut, gewöhnlich zwischen dem Mais, doch auch in Gärten. Gurken sind auch vielfach angepflanzt worden und sollen nach Versicherung mehrerer Deutschen außerordentlichen Ertrag geben. Aepfel und Pfirsichen werden viel gezogen und gedeihen so sehr, daß man sie häufig den Schweinen füttert; dennoch wurde der Bushel Aepfel um Weihnachten in Wartburg mit 25 Cent verkauft. Von Kirschen, Pflaumen und Birnen bin ich nichts gewahr worden, sie scheinen hier ganz unbekannt zu sein. Salat und andere Gartengemüse haben den Deutschen, welche dergleichen anbauten, ebenfalls reichliche Ernten geliefert.

Ich lasse nun einige Berechnungen folgen, wobei ich annehme, daß alle Arbeit von gedungenen Arbeitern für den hier üblichen Lohn gemacht wurden:

Mais

auf neuem Lande, welches aber schon ein Jahr bebaut war:

Zehn Acker zweimal zu pflügen	20 Dollar	— Cent:	
Samen	—	" 50	"
Saatfurchen zu ziehen	1	" —	"
Samen zu legen	1	" 50	"
Viermal mit dem Pfluge auszufurchen	20	" —	"
Aushacken (1 Mann 15 Tage)	7	" 50	"
Einernten	3	" —	"
	Sa. 53 Dollar	50 Cent.	

Das Aushülsen der Aehre aus den Shocks, sowie das Losmachen der Körner von den Aehren, ferner das Einsammeln der Blätter und Spitzen der Stengel ist nicht in Ansatz gebracht, weil der Futterwerth der letzteren diese nach und nach vorzunehmenden Arbeiten hinlänglich bezahlt.

Man versichert mir nun allgemein, daß das Land sehr schlecht sein müßte, wenn nicht wenigstens 20 Bushel vom Acker geerntet würden, mehrere Amerikaner behaupten 25—30 Bushel zu ernten; ich habe aber auch einen getroffen, der eben beschäftigt war, sein Korn zu messen, und dieser sagte mir, daß er von 8 Ackern 140 Bushel erlangt hätte, also vom Acker nur 17½ Bushel. Dieser Mann hatte freilich einen Platz in der ärmsten Gegend, an der Kingstonstraße, nahe der südlichen Grenze der Kolonie.

Der Preis des Indian-Kornes ist nun seit längerer Zeit nicht unter 30 Cent, steht aber jetzt in Wartburg 40 Cent, am rechten Ufer des Big-Emory 45—50 Cent für den Bushel. In Roane-County am Tennessee ist der Preis nur 20—25 Cent; die Fracht beträgt aber so viel, daß er von dort nicht unter 40—45 Cent franko nach Wartburg geliefert werden kann. Nimmt man nun den Ertrag obiger 10 Acker nur zu 17½ Bushel vom Acker, so würde bei 30 Cent die Ernte 52½ Dollar, bei 40 Cent 70 Dollar werth sein, also im ersteren Falle nicht ganz die Kosten decken, im letzteren einen unbedeutenden Reinertrag gewähren. Rechnet man 20 Bushel vom Acker, so macht dies bei 30 Cent 60 Dollar, bei 40 Cent aber 80 Dollar und ist auch in diesem letztern Falle der Reinertrag immer noch schwach; obgleich die

Arbeiten, wenn man alle selbst verrichtet, einen guten Lohn bringen. Kann man jedoch ein wenig düngen, so wird man bedeutend mehr ernten und dann auch eine gute Verzinsung des Anlagekapitals erlangen.

Kartoffeln.

Einen Acker zweimal zu pflügen	3 Dollar	— Cent.
Furchen zu ziehen	1 „	— „
Samen zu legen	— „	50 „
Samen, 12 Bushel à 25 Cent	3 „	— „
Einmal eggen und zweimal anfahren	1 „	50 „
Geiern	— „	50 „
Einernten	5 „	— „
	Sa. 14 Dollar	50 Cent.

Ueber diese Frucht erhielt ich die widersprechendsten Angaben. Die Amerikaner ziehen die Saatfurchen vier Fuß weit und legen in diese die Kartoffeln wenige Zolle auseinander, offenbar eine ganz verkehrte Methode, die nur einen geringen Ertrag hervorzubringen geeignet ist. Deutsche hatten sowohl Land als auch Samen und Ernte nicht genau gemessen, auch hatte die bekannte Krankheit, jedoch nur in sehr geringem Grade geherrscht. Obgleich nun Herr D. von Kienbusch hoch und theuer versicherte, 400 Bushel vom Acker geerntet zu haben, so setzte ich doch in diese Angabe einige Zweifel und habe nach sorgfältiger Prüfung aller mir gewordenen Mittheilungen gefunden, daß man mit Gewißheit als niedrigsten Ertrag 100 Bushel vom Acker annehmen kann. Da nun der Bushel nicht unter 25 Cent verkauft wird, dieser Preis aber gewiß noch steigt, so lange deutsche Einwanderung zunimmt, so giebt diese Frucht mit 25 Dollar vom Acker bei 14½ Dollar Erzeugungskosten einen sehr guten Reinertrag, der auch dann noch gut ist, wenn man nur 80 Bushel erntet, aber ganz vorzüglich wird, wenn 125—150 Bushel gewonnen werden, wie wohl mit Gewißheit anzunehmen ist. Es ist hierbei sehr zu beachten, daß die Kartoffeln bis jetzt nur in ungedüngtem Lande gezogen wurden.

Tabak

in neues Land:

Ein Acker neues Land aufzubrechen	1	Dollar.
Dasselbe nochmals mit der Hacke von Wurzeln und Unkraut zu reinigen	3	„
Zweimal zu pflügen	2	„
Zweimal zu eggen	2	„
Samen unbedeutend	—	„
Sämmtliche Arbeit vom Pflanzen bis zum Ernten, welche nie ganze Tage anhält, geschätzt auf 30 ganze Tage für einen Mann	15	„
	Sa. 23	Dollar.

Auch über diese Frucht konnte ich nur sehr widersprechende Angaben erlangen. Herr von Kienbusch will 1500—3000 Pfund vom Acker erbauen und das Pfund mit 5 Cent absetzen. Da jedoch diese Annahme einen unmäßig hohen Ertrag gäbe, so mag ich sie nicht als zuverlässig verbürgen. Weitere genauere Erkundigungen bei Sachverständigen, sowie Vergleichungen mit den Berichten aus andern Tabakbau treibenden Staaten veranlassen mich, den geringsten Ertrag auf 800 Pfund vom Acker und als niedrigsten Preis 4 Cent pro Pfund anzunehmen, wodurch sich ein Erlös von 32 Dollar vom Acker herausstellt, welcher schon einen sehr guten Reinertrag liefert. In der Kostenberechnung habe ich zwei Posten hinzugefügt, welche mir Niemand angab, nämlich: das Reinigen mit der Hacke und das Eggen, da ich durch auswärtige Berichte belehrt wurde, daß der Tabak auf neuem Lande zwar vorzüglich gedeiht, aber nur, wenn es sorgfältig gereinigt wird. Eben so ist mir die Arbeit für einen Mann höchstens zu 25 Tagen angegeben worden, welche sich noch verringern soll, wenn mehrere Acker zugleich zu bearbeiten sind und wovon ein großer Theil durch Kinder verrichtet werden kann. Dagegen ist wohl mit größter Gewißheit anzunehmen, daß mehr als 800 Pfund erbaut werden, da nach zuverlässigen Berichten in Virginien auf ganz ausgesogenem Lande, wo nichts als Tabak gebaut wurde, ohne Düngung vom Acker 900 Pfund erlangt werden. Die Fracht bis New-York beträgt 3 Cent für 1 Pfund, es ist daher der Preis von 4 Cent zur Ausfuhr nicht zu hoch, wenn man nur auf guten Samen und gute Behandlung hält. Ordinärer Kentucky- und Tennessee-Tabak wird zwar wohl mit 2 Cent verkauft, dies ist aber ein schwerer Tabak, wo mindestens

1500—2000 Pfund vom Acker gerechnet werden können und der kaum die Hälfte Arbeit braucht, da er nicht zu Cigarren benutzt wird und immer noch gut ist, wenn auch von der Tabakraupe Löcher in die Blätter gefressen wurden. Herr Weißgerber hat im vorigen Jahre ein Stückchen Tabak gepflanzt, wie er mir sagte, kaum ⅛ Acker, und davon so viel geerntet, daß er über 300 Pfund verkauft, viel verschenkt und auch noch zu eigenem Gebrauche auf zwei Jahre Vorrath hat. Er bekam von den Kolonisten für das Pfund 10 Cent und machte sonach einen außerordentlichen Gewinn. Die hiesigen Amerikaner bauen nur etwas für eigenen Bedarf, bei größeren Partieen macht er ihnen viel zu viel Arbeit und erfordert zu sorgfältiges Pflügen und Reinigen des Landes, was sie nun einmal nicht lieben; auch machen sie sich durchaus keine Berechnung über Ertrag oder Ertragfähigkeit ihres Landes. Demohngeachtet wird in den übrigen Theilen von Tennessee sehr viel Tabak gebaut. Laut officiellen Angaben beläuft sich der Gesammtertrag des Tabakbaues in den Vereinigten Staaten im Jahre 1847 auf 220,164,000 Pfund, wovon 65,000,000 auf Kentucky, 50,000,000 auf Virginien, 35,000,000 auf Tennessee, 25,000,000 auf Maryland, 14,000,000 auf Nord-Karolina, 11,000,000 auf Missouri, 9,000,000 auf Ohio, 3,880,000 auf Indiana, 1,288,000 auf Illinois und 806,000 auf Connecticut kommen. Der sämmtliche in Tennessee erbaute Tabak wird ohne alle Zurichtung zusammengepreßt, in Kisten von 100—150 Pfund verpackt und theils im Lande selbst verbraucht, theils nach Alabama, Mississippi und Georgia versendet, deckt aber noch lange nicht den Bedarf dieser Staaten an Kautabak. Die Kaufleute zahlen 7—10 Cent für das Pfund, frachtfrei an den Verkaufsort geliefert.

Rindviehzucht.

Man nimmt hier allgemein an, daß die einträglichste Methode, Schlachtvieh zu ziehen, darin besteht, daß man im Frühjahre in den südlichen County's, wo das Land mehr bebaut und deshalb Waldweide seltener ist, einjährige Stücke kauft, welche man mit 1½—2 Dollar bezahlt, diese 2½ Jahr in den Wald laufen läßt, wo sie dann nur etwas Salz und bei Schnee oder strenger Kälte etwas Korn nachgefüttert bekommen. Diese Thiere fallen im Winter ganz ab, werden aber durch die außerordentlich gute Waldweide im Sommer stets so fett, daß sie im August des dritten Jahres zur Ausfuhr nach dem

9*

Süden oder über Richmond nach Baltimore gern mit 8—12 Dollar das Stück bezahlt werden. Wenn demnach:

Ein Stück im Ankauf kostet	2 D.	— C.
In zwei Jahren an Salz verbraucht für	— =	50 =
In zwei Wintern an Futter bekommt für	2 =	50 =
so macht dies Sa.	5 D.	— C.

und giebt bei einem Verkaufe von nur 8 Dollar schon einen schönen Nutzen. Da jedoch diese Art der Viehzucht, wenn sie großen Gewinn bringen soll, schon bedeutende Kapitalien und große Wirthschaften zur Futtererzeugung bedarf, so wird sie hier nur von wenigen reichen Farmern im Großen betrieben. Die Aermeren begnügen sich, die von ihren Milchkühen erlangten Kälber aufzuziehen und dreijährig zu verkaufen.

Schweinezucht.

Diese gilt dem hiesigen Farmer als Haupterwerbszweig. Jeder besitzt 10—20 Mutterschweine, wovon jedes im Laufe eines Jahres zweimal 6—8 Junge bringt, welche mit den Müttern in den Wald laufen und ohne Aufsicht und Futter heranwachsen. Nach Verlauf von 1½—2 Jahren sind sie schlachtbar und jedes Stück hat dann einen Werth von 2—3 Dollar. Besonders gemästete werden viel theurer bezahlt; ich habe dergleichen mit 4—5, ja einmal sogar mit 7 Dollar bezahlen sehen; diese letzteren waren aber von einer bessern Race, als man sie hier gewöhnlich hält. Um Absatz braucht Niemand verlegen zu sein, da alljährlich reisende Viehhändler alle schlachtbaren Schweine zusammenkaufen und nach dem Süden treiben, wo sie von der Sklavenbevölkerung verzehrt werden.

Schaafzucht

wird hier noch ganz unbedeutend betrieben. Gewöhnlich werden nur einige Schaafe gehalten, um Wolle für den Hausbedarf zu erzielen; diese wird von den Frauen gesponnen, das Garn zu Strümpfen oder zu einem Zeuge verbraucht, welches sie auch selbst färben und dann Kleider daraus machen. Der deutsche Farmer Mehlhorn, welcher früher 6 Jahre Schäfer war, versichert mir, daß eine Heerde von mindeste 600 Stück einen sehr hohen Ertrag geben würde, d. h. die Pferchdüngung allein so viel werth wäre als das, was der Schäfer an Lohn bekommen dürfte, der Ankauf aber durch den Fleischverkauf vollkommen gedeckt, die Kosten des Winterfutters, der Wäsche und der

Schur durch den Werth der Lämmer ausgeglichen würden und daher der volle Werth der Wolle als Reinertrag sich herausstellte. Die hiesige grobe Wolle wird jetzt ungewaschen für 50 Cent das Pfund verkauft, dürfte aber, wenn sie als Ausfuhrartikel betrachtet wird, wohl bedeutend niedriger anzunehmen sein. Die in Amerika erzeugte Wolle wird schlecht gewaschen und nicht assortirt an die Wollenwaarenfabriken in den nördlichen Staaten verkauft und von diesen das Pfund mit 20—25 Cent bezahlt.

Im Jahre 1840 wurden nach offiziellen Angaben in den Vereinigten Staaten ungefähr 60,000,000 Pfund Wolle erzeugt, welches Quantum jedenfalls alljährlich zugenommen hat. Demohngeachtet wurden noch eingeführt an meistens groben Wollen in den Jahren 1840, 1841 und 1842 zusammen für 1,763,958 Dollar, im Jahre 1843 für 245,047 Dollar, im Jahre 1844 für 851,460 Dollar und im Jahre 1846: 16,127,932 Pfund grobe Wollen im Werthe von 1,107,315 Dollar und 130,295 Pfund feinere im Werthe von 26,921 Dollar. Da nun nicht allein die Bevölkerung der Vereinigten Staaten alljährlich reißend zunimmt, der Verbrauch an feineren Wollenzeugen aber mit vermehrter Kultur noch in weit größerem Verhältnisse steigt, so steht der Schaafzucht eine glänzende Zukunft bevor. Nun eignen sich aber dazu die Gebirge Ost-Tennessee's ganz vorzüglich deshalb, weil das milde Klima im Winter kaum einige Wochen Stallfütterung nöthig macht und die ausgebrannten Wälder eine Schaafweide geben, wie sie nur wenige Länder haben dürften. Wird daher hier die Schaafzucht im Großen von kenntnißreichen und mit den nöthigen Kapitalien versehenen Männern eingeführt, so muß sie zu einer Quelle des Wohlstandes für ganz Ost-Tennessee werden.

Pferdezucht.

Diese wird hier fleißig betrieben, aber eben so nachlässig, wie alle andern Zweige der Landwirthschaft. Die Arbeits- und Reitpferde der Farmer bestehen fast durchgängig aus Stuten einer nicht großen, aber hübschen und ausdauernden Raçe, von denen fortwährend Fohlen gezogen werden, die jederzeit leicht und gut abzusetzen sind. Ein dreijähriges Pferd, welches dem Züchter weder Arbeit noch Futter kostete, da es das letztere sich Sommer und Winter selbst suchen muß und nie genutzt wird, kostet 25—50 Dollar. Einzelne Farmer ziehen auch Maulesel, die noch theurer bezahlt werden.

Seidenzucht

ist noch nicht versucht, Klima und Boden aber dem Anbau des Maulbeerbaumes günstig, und es wird der Einführung dieses sehr lohnenden Erwerbszweiges nichts im Wege stehen.

Bienenzucht

dürfte dem thätigen und umsichtigen Landmanne gewiß mit der Zeit einen schönen Nebenerwerb sichern. Die Gallone (ungefähr 4 Dresdner Kannen) ausgelassener Honig kostet hier 1 Dollar.

Berechnung

über den Ertrag einer Farm von 50 Ackern, fortgeführt durch sieben Jahre, mit Angabe des jährlichen Wirthschaftsbetriebes.

Ich habe bei dieser Berechnung angenommen, daß eine Familie von Mann, Frau und drei Kindern von vielleicht 15, 12 und 9 Jahren mit 1000 Thaler preuß. Cour. vom Hause abreist, davon 500 Thaler zur Reise braucht und den Rest zum Ankauf einer Farm von 50 Acker, davon 5 Acker geklärt, eingefenzt und mit einem Blockhause versehen, verwendet. Ich setze ferner voraus, daß der Einwanderer einen großen Theil der nöthigen Geräthschaften, namentlich eiserne Kochtöpfe, Blechgeschirr, Teller, Tassen und andere Küchengeschirre, Sensen, Sicheln u. s. w. mitbringt und sich auch selbst noch Manches anfertigt, da Diejenigen, welche Alles hier neu anschaffen wollen, allerdings mehr als die angeführte Summe besitzen müssen.

Um allzugroße Weitläufigkeit zu vermeiden, sowie aus den schon im vorigen Abschnitte entwickelten Gründen, habe ich als Hauptwirthschaftszweige Tabaksbau und Viehzucht angenommen, die Ausgaben überall mit den höchsten, die Einnahmen mit den niedrigsten Sätzen angeführt, und die ganze Berechnung so gehalten, daß sie wenigstens im allgemeinen Resultate zuverlässig ist, wenn ich mich auch in einzelnen Ansätzen geirrt haben sollte, und daß da, wo ich vielleicht noch nöthige Ausgaben übersehen haben sollte, diese durch an einzelnen Posten zu erwartenden Mehrertrag gedeckt, oder dafür leicht an einer andern Ausgabe etwas abgebrochen werden kann.

Für einen Wagen habe ich nichts in Ansatz gebracht, weil dieser in den ersten Jahren nicht nöthig ist. Zum Einbringen des Getreides bedient man sich einer selbstgefertigten Schleife, zum Anfahren des Brennholzes eines höchst einfachen, ebenfalls selbst zu verfertigenden

Fuhrwerkes, welche beide vollkommen genügen, da Feld und Wald stets nahe am Hause liegen.

Für Verbesserung des Wohnhauses, sowie für Erbauung von Ställen ist ebenfalls nichts berechnet, letztere müssen nach und nach aus rohen Baumstämmen selbst erbaut und die Vergrößerung und Verschönerung des Hauses kann leicht dadurch erlangt werden, daß man die, beim Abräumen des Waldes abfallenden Nutzholzklötze bei einem Sägemüller gegen Balken und Breter vertauscht, und entweder selbst oder mit Hülfe eines Zimmermanns nach und nach die nöthigen Verbesserungen anbringt. Der Lohn für Letzteren mag an den Ausgaben für Kleider gekürzt werden.

In den Ertragsberechnungen ist auf Düngung noch keine Rücksicht genommen, obgleich diese schon im dritten Jahre wenigstens theilweise eintreten und dadurch der Ertrag der Felder bedeutend gesteigert werden kann.

Diejenigen Einwanderer, welche bei ihrer Abreise nicht 1000 Thaler besitzen, müssen im Anfange manche aufgeführte Ausgabe meiden, sie können z. B. 1 Axt, 1 Schindelbeil, 1 Egge, 1 Baumsäge, 1 Schaufel, 1 Wage mit Ortscheit, 1 Pferd nebst Geschirr, Sattel und Trense, einige Stühle, 3 Stück junges Rindvieh weglassen und dadurch für den Anfang 90 Dollar Ausgabe ersparen, wogegen sie ihr Feld durch einen Nachbar bestellen lassen und diesem dafür Handarbeit leisten können. Langt das Vermögen noch nicht zu, so müssen sie etwas weniger Land für sich bestellen, und dagegen für Andere um Lohn arbeiten, wodurch sie leicht auch noch die ganzen Lebensmittel verdienen können. Auf diese Weise würde es möglich sein, daß eine Familie durchkäme, wenn sie bei der Abreise auch nur 750 Thaler besitzt, nur wird es etwas länger dauern, ehe sie zu Wohlstand gelangt.

Es wird nun angenommen, daß der Einwanderer im October 1849 in der Kolonie eintrifft, sich sogleich ankauft und von dem geklärten Lande einen Acker zu Gehöfte, Kälbergarten und Gemüsegarten benutzt, im nächsten Frühjahre aber 1 Acker mit Kartoffeln, 2½ Acker mit Mais und ½ Acker mit Tabak bestellt. Die angeführten Geräthschaften, sowie Schweine, Hühner und Gänse mag er sich sofort anschaffen, eine Kuh mit Kalb, junges Rindvieh zur Mast und ein Pferd wird jedoch erst im nächsten Frühjahre gekauft, da diese Thiere im ersten Herbst und Winter nur unnöthiges Futter kosten würden.

Erstes Jahr,

vom 1. November 1849 bis zum 31. October 1850.

Ausgabe:

Reisekosten vom Hause aus bis in die Kolonie 500 Thlr. Preuß. Cour. à 66 Cent	330 D.	— C.
Ankauf der Farm	130 =	— =
2 Aexte	2 =	50 =
1 Rade= oder Wurzelhaue	— =	80 =
1 Kratze	— =	50 =
1 Schaufel	— =	75 =
1 Feuerschaufel (für Kaminfeuer nöthig)	— =	85 =
1 eiserner Brodbacker mit Griff	2 =	50 =
1 kleine Axt	— =	75 =
1 Schindelbeil	1 =	— =
1 große Baumsäge	5 =	— =
1 Pflug	6 =	— =
1 Kultivator	3 =	— =
1 eiserne Egge	6 =	— =
1 Wage mit Ortscheit	1 =	— =
1 Pferdegeschirr	4 =	— =
1 Sattel	10 =	— =
1 Tisch und 6 Stühle	5 =	— =
3 ordinäre Bettstellen	3 =	— =
10 Hühner	1 =	— =
4 Gänse	1 =	— =
1 Mutterschwein mit 6 Ferkeln	6 =	— =
Vier Acker geklärtes Land aufzubrechen	4 =	— =
1 Kuh mit Kalb	10 =	— =
1 Pferd	35 =	— =
Samen zu 1 Acker Kartoffeln, 12 Bushel à 25 Cent	3 =	— =
Desgl. zu ½ Acker Tabak und 2½ Acker Mais	— =	50 =
Futter für die Schweine und das Federvieh durch den Winter	2 =	— =
3 Stück einjähriges Rindvieh zur Mast à 2½ Dollar	7 =	50 =
Futter für das Pferd vom April bis Ende October 1850 à 2½ Dollar per Monat	17 =	50 =
Latus	600 D.	15 C.

10

Transp. 600 = . 15 =

Lebensmittel auf 1 Jahr:

40 Buſhel Mais à 33 C.	13 D. 20 C.		
52 = Kartoffeln à 25 =	13 = — =		
1000 Pfd. Fleiſch à 3 =	30 = — =		
26 = Kaffee à 12½ =	3 = 25 =		
26 = Butter à 10 =	2 = 60 =		
Salz, Gewürze, Tabak u.ſ.w.	7 = 95 =		70 = — =
		Sa.	670 D. 15 C.

Einnahme.

Vermögensbeſtand bei der Abreiſe 1000 Thaler à 66 Cent	660 D. — C.
Ertrag von Federvieh	2 = — =
Ertrag von ½ Acker Tabak, 400 Pfd. à 4 Cent . .	16 = — =
	678 D. — C.
Hiervon geht ab obige Ausgabe mit	670 = 15 =
Bleibt am 1. November 1850 ein Kaſſenbeſtand von .	6 D. 85 C.

Außer vorſtehendem Kaſſenbeſtande ſind noch vorhanden: mindeſtens 100 Buſhel Kartoffeln, Ertrag von 1 Acker, von welchen 52 Buſhel zu Lebensmitteln für das nächſte Jahr, 24 Buſhel zu Samen auf 2 Acker und 24 Buſhel zu Viehfutter im Winter zu rechnen ſind; ferner 40 Buſhel Mais, Ertrag von 2½ Acker à 16 Buſhel, welche zu Brod fürs nächſte Jahr aufgehen, dabei aber noch den Samen zu 6 Acker liefern müſſen.

Von den 6 Ferkeln, die im Herbſte 1849 angekauft wurden, iſt eins zu einem Mutterſchweine erwachſen und hat im Spätſommer 5 Ferkel geworfen, das alte Mutterſchwein hat ebenfalls zweimal geworfen à 5 Ferkel. Es iſt demnach vom 1. November 1850 vorhanden ein Viehſtand von:

1 Pferd,
1 Milchkuh,
1 Kalbe von ½ Jahr,
3 Stück junges Rindvieh à 1½ Jahr (Kalben),
2 Mutterſchweine,
5 Läufer (Maſtſchweine), 1½ jährig,
15 Ferkel.

Die fünf Läufer werden im folgenden Herbſte und Winter nach und nach geſchlachtet und müſſen den Fleiſchbedarf der Familie für

das nächste Jahr decken, dazu können sie auch noch die Kalbe verwenden, welche entweder einjährig zu schlachten und gepökelt und geräuchert zu essen, oder zu verkaufen und für den Erlös nach und nach frisches Rindfleisch anzuschaffen ist.

Im Laufe des Jahres wurden nach und nach fernere 8 Acker geklärt und eingefenzt; diese werden im Herbste 1850 noch aufgebrochen und nun im Frühjahre 1851 bestellt:

4 Acker mit Tabak,
2 „ mit Kartoffeln,
6 „ mit Mais.

Zweites Jahr,

vom 1. November 1850 bis 31. October 1851.

Ausgabe:

Kornfutter für das Pferd auf 1 Jahr		24 D.	— C.
Lebensmittel auf 1 Jahr:			
26 Pfd. Kaffee	3 D. 25 C.		
20 „ Butter	2 „ 50 „		
Salz u. s. w.	7 „ 25 „		
		13 „	— „
Korn und Kartoffeln selbst geerntet		— „	— „
1 Kuh mit Kalb, im Frühjahre 1851 zu kaufen		10 „	— „
Für Schmiedearbeit		7 „	50 „
Für Schuhmacherarbeit		7 „	50 „
	Sa.	62 „	— „

Einnahme:

Für 3200 Pfd. Tabak, Ernte von 4 Acker à 4 Cent		128 D.	— C.
Ertrag vom Federvieh		3 „	— „
	Sa.	131 „	— „
Dazu Kassenbestand aus vorigem Rechnungsabschluß		6 „	85 „
	Sa.	137 „	85 „
Hiervon ab obige Ausgaben		62 „	— „
Bleibt am 1. Novbr. 1851 Kassenbestand		75 D.	85 C.

Es wird bei einiger Umsicht dem Ansiedler leicht gelingen, trotz des geringen Kassenbestandes am Anfange des zweiten Rechnungsjahres die oben angeführten Ausgaben zu bestreiten, wenn er sein Korn gut

eintheilt und sich durch Fleiß und Ordnungsliebe Kredit im Store für Lebensmittel, und bei seinen älteren Nachbarn für eine Kuh und etwas Kornfutter erwirbt. Diese Schulden können von dem Ertrage der Tabakserute bezahlt werden.

Die Ernte dieses Jahres gab ferner 200 Bushel Kartoffeln, wovon 52 Bushel zum Verbrauche in der Küche, 24 Bushel zu Samen auf 2 Acker und 124 Bushel zu Viehfutter verwendet werden.

Von 6 Acker Mais wurden 100 Bushel geerntet, nebst einer Partie Heufutter. Dieses letztere nebst 60 Bushel Körnern geben hinlänglich Futter für Pferd und Rindvieh im nächsten Rechnungsjahre. 40 Bushel Korn werden zu Brod verbraucht.

Die 2 Mutterschweine brachten im verwichenen Jahre 20 Ferkel. Die vorjährigen 15 Ferkel sind zu Läufern angewachsen, wovon 7 Stück geschlachtet werden und den Fleischbedarf der Familie im nächsten Jahre reichlich decken, die übrigen 8 Stück im Herbste 1852 zum Verkauf kommen. Die Kuh Nr. 1 brachte 1851 wieder ein Kalb und das Pferd ein Fohlen.

Am Schlusse des zweiten Jahres besteht demnach das Vieh-Inventar außer dem Federvieh aus:

1 Pferd nebst Fohlen,
2 Melkkühen,
2 Kälbern, ½ Jahr alt,
3 Kalben, 2½ Jahr alt,
2 Mutterschweinen,
20 Ferkeln,
15 Läufern, 1½jährig.

Obenerwähntes Fohlen wird zum Arbeitspferde für den eigenen Gebrauch aufgezogen; das Futter für dasselbe ist nicht zu rechnen, auch bleibt der Werth dieses, sowie etwa später gezogener junger Pferde ganz außer Ansatz; dagegen wird für Ankauf frischer Arbeits- und Reitpferde nichts in Ausgabe gestellt.

Während des verflossenen Jahres wurden vom Farmer selbst vier Acker neu geklärt und nach dem Eingange von Geldern für Tabak läßt er noch 4 Acker gegen Bezahlung klären. Diese 8 Acker werden im Herbste 1851 noch aufgebrochen und nun im Frühjahre 1852 bestellt:

4 Acker mit Tabak,
2 " " Kartoffeln,
10 " " Mais und
4 " " Hafer und Klee.

Der zu erntende Hafer wird den Futterbedarf fürs Pferd im vierten Jahre decken, deshalb kann von den 160 Bushel Mais, die von vorstehenden 10 Ackern zu erwarten sind, ungefähr 30 Bushel verkauft werden, welche mit in Einnahme kommen. Im Frühjahre 1852 werden ferner 2 Melkkühe mit 2 Kälbern angekauft, im Laufe dieses Jahres etwas auf Erneuerung von Kleidern und Wäsche verwendet und auch angemessene Beiträge für Kirche und Schule gezahlt. Auch ein Frauensattel kann angeschafft werden, ebenso einige Böttchergefäße.

Drittes Jahr,

vom 1. November 1851 bis 31. October 1852.

Ausgabe:

Für 4 Acker Wald zu klären und zu umfenzen à 8 Dollar	32 D.
„ 2 Kühe mit 2 Kälbern à 10 Dollar	20 „
„ Kleider und Wäsche	40 „
„ Schuhmacherarbeit	20 „
„ Schmiedearbeit	10 „
„ 1 Frauensattel	20 „
„ Böttchergefäße	10 „
„ Salz, Kaffee, Gewürz, Tabak und andere kleine Bedürfnisse	25 „
Beiträge zur Schule und Kirche	15 „
	Sa. 192 D.

Einnahme:

Ertrag von 4 Melkkühen nach Abzug des eigenen Verbrauchs	8 D.	— C.
Ertrag vom Federvieh nach Abzug des eigenen Verbrauchs	4 „	— „
Ernte von 4 Acker Tabak, 3200 Pfund à 4 Cent	128 „	— „
Ueberschuß von Mais, 30 Bushel à 33 Cent	9 „	90 „
Für drei Stück Rindvieh (vom Frühjahre 1850) verkauft im August 1852, à 8 Dollar	24 „	— „
Für 8 fette Schweine à 4 Dollar	32 „	— „
	Sa. 205 D.	90 C.
Hierzu: Kassenbestand von Abschluß der vorigen Rechnung	75 „	85 „
	Sa. 281 D.	75 C.
Ab: Obige Ausgaben	192 „	— „
Bleibt Kassenbestand	Sa. 89 D.	75 C.

Die Ernte von 4 Acker Hafer und 2 Acker Kartoffeln, nebst 130 Bushel Mais wird, wie schon bemerkt, im vierten Jahre in der Wirthschaft verbraucht.

Es ist von nun an zu rechnen, daß jährlich von 2 Mutterschweinen 20 Ferkel und von jeder Melkkuh 1 Kalb erlangt wird; demnach stellt sich der Viehbestand am Ende des dritten Jahres auf:

1 Pferd nebst Fohlen,
4 Melkkühe,
4 Kälber von ½ Jahr,
2 Kalben von 1½ Jahr,
2 Mutterschweine,
20 Ferkel und
20 Läufer à 1½ Jahr.

Von letzteren sind 10 Stück zu schlachten für den Fleischbedarf der Familie im vierten Jahre, 10 Stück fett zu machen und im nächsten Herbste zu verkaufen.

Es sind 1852 im Herbste abermals 6 Acker Wald in Akkord zu klären, noch aufzubrechen und im Frühjahre 1853 zu bestellen:

4 Acker mit Tabak,
4 „ „ Kartoffeln,
4 „ „ Hafer und Klee,
10 „ „ Mais, und vorhanden sind
4 „ Klee aus vorigem Jahre.

Im Frühjahre 1853 werden abermals 2 Milchkühe mit 2 Kälbern angeschafft und somit der künftige regelmäßige Bestand von 6 Stück Melkkühen erreicht.

Der Aufwand für Kleider und Wäsche steigert sich mit vermehrter Einnahme in jedem Jahre.

Da der Mais nunmehr in gut bearbeitetes Tabakland kommt, so wird der Ertrag künftig auf 20 Bushel vom Acker geschätzt und sonach in diesem Jahre 200 Bushel geerntet, wovon 50 Bushel zum Verkauf kommen.

Die Kartoffeln geben nun bei guter Behandlung 125 Bushel vom Acker. Von den sonach zu erwartenden 500 Bushel werden 48 Bushel zu Samen gebraucht, 100 Bushel verkauft, die übrigen 352 Bushel zu Speisen und zum Viehfutter verwendet.

Der Ertrag von 4 Acker Hafer und 4 Acker Klee ist zu verfüttern und, wenn es die nun schon starken Futtervorräthe gestatten, noch mehr Rindvieh zur Mast anzukaufen oder mehr Schweine zu ziehen,

diese muthmaßliche Vermehrung des Viehstandes hier aber außer Berechnung zu lassen.

Im nun folgenden Jahre wird noch 1 Sattel, 1 Pflug und einiges andere Ackergeräthe angeschafft.

Viertes Jahr,

vom 1. November 1852 bis 31. October 1853.

Ausgaben:

Für 6 Acker Wald zu klären und zu umfenzen . . .	48 D.	— C.	
„ 2 Kühe mit 2 Kälbern	20 „	— „	
„ Kaffee, Salz und andere kleine Bedürfnisse auf 1 Jahr	30 „	— „	
„ Schmiedearbeit	10 „	— „	
„ Schuhmacherarbeit	25 „	— „	
„ Kleider und Wäsche	50 „	— „	
„ 1 Sattel und Zaum	12 „	— „	
„ 1 Pflug und anderes Acker- und Wirthschaftsgeräthe	20 „	— „	
Beitrag für Kirche und Schule	15 „	— „	
Sa.	230 D.	— C.	

Einnahme:

Ertrag von 6 Melkkühen, nach Abzug des eigenen Verbrauches von Milch und Butter	18 D.	— C.
Für 10 fette Schweine	40 „	— „
Ertrag vom Federvieh	5 „	— „
Ertrag von 4 Acker Tabak	128 „	— „
Für 100 Bushel Kartoffeln à 25 Cent	25 „	— „
„ 50 Bushel Mais à 30 Cent	15 „	— „
Sa.	231 D.	— C.
Dazu: Kassenbestand bei vorigem Rechnungsabschlusse	89 „	75 „
Sa.	320 D.	75 C.
Hiervon ab: Obige Ausgaben	230 „	— „
bleiben	90 D.	75 C.

Am Schlusse dieses Rechnungsjahres ist an Vieh vorhanden:

2 Pferde,

6 Melkkühe,

6 Kälber à ½ Jahr,

4 Kalben à 1½ Jahr,
2 dergleichen à 2½ Jahr,
2 Mutterschweine,
20 Ferkel,
20 Läufer.

Von den Schweinen werden nun alljährlich 10 Läufer für den Fleischbedarf des nächsten Jahres geschlachtet, 10 Läufer aber bis zum nächsten Herbste gefüttert und dann verkauft.

Im Herbste 1853 läßt der Farmer abermals 9 Acker gegen Bezahlung klären und bestellt im Frühjahre 1854:

4 Acker mit Tabak,
4 " " Kartoffeln,
9 " " Mais,
5 " " Hafer und Klee,
8 " bleiben aus 2 Jahren in Klee liegen und
5 " werden zu Wiesen eingerichtet und wo möglich mit selbst gezogenen Obstbäumen besetzt.

Fünftes Jahr,

vom 1. November 1853 bis 31. October 1854.

Ausgabe:

Für 9 Acker Wald zu klären und zu umfenzen	72	D.	— C.
" Kaffee und andere kleine Bedürfnisse	40	"	— "
" Schmiedearbeit	10	"	— "
" Schuhmacherarbeit	30	"	— "
" Kleider und Wäsche	60	"	— "
Beiträge für Kirche und Schule	15	"	— "
Abgaben	3	"	— "
Sa.	230	D.	— C.

Einnahme:

Ertrag von 6 Melkkühen	18	D.	— C.
Ertrag vom Federvieh	4	"	— "
Für 10 fette Schweine	40	"	— "
" 2 Stück fettes Rindvieh, 3½ jährig	16	"	— "
Ertrag von 4 Acker Tabak	128	"	— "
Für 100 Bushel Kartoffeln	25	"	— "
" 30 " Mais	9	"	— "
Sa.	240	D.	— C.

Transp. 240 D. — C.

Hierzu: Kassenbestand bei vorigem Rechnungsschlusse	90 = 75 =
	Sa. 330 D. 75 C.
Ab: Obige Ausgaben	230 = — =
Bleibt Kassenbestand	100 D. 75 C.

Das Vieh-Inventar besteht am Ende dieses Rechnungsjahres aus:

2 Pferden,
6 Melkkühen,
6 Kälbern von ½ Jahr,
6 Kalben von 1½ Jahr,
4 Kalben von 2½ Jahr,
2 Mutterschweine,
20 Ferkel und
20 Läufer.

Um den Normalbestand von 41 Acker geklärten Landes zu erreichen, müssen noch 5 Acker gegen Bezahlung geklärt werden.

Im Frühjahre 1854 werden bestellt:

5 Acker mit Tabak,
5 = = Kartoffeln,
6 = = Mais,
5 = = Hafer und Klee,
9 = stehen mit Klee aus vorigem Jahre,
5 = waren bereits zu Wiesen eingerichtet und
5 = werden abermals dazu eingerichtet und mit Obstbäumen bepflanzt.

In Einnahme wird künftig nur der Ertrag von Tabak und Mastvieh gestellt, die Ernte von Hafer, Klee, Heu, Kartoffeln, Obst und Gemüse durchgängig als selbst verbraucht angenommen.

Sechstes Jahr,

vom 1. November 1854 bis 31. October 1855.

Ausgabe:

Für 5 Acker zu klären und zu umfenzen	40 D. — C.
= Kaffee und andere kleine Bedürfnisse	40 = — =
= Schmiedearbeiten	10 = — =
= Schuhmacherarbeiten	40 = — =
= Kleider und Wäsche	80 = — =
Beiträge für Kirche und Schule, und Abgaben	20 = — =
	Sa. 230 D. — C.

11

Einnahme:

Ertrag von 6 Melkkühen	18 D. — C.
Für 10 fette Schweine	40 „ — „
„ 4 Stück fettes Rindvieh	32 „ — „
Ertrag von 5 Acker Tabak	160 „ — „
„ vom Federvieh	5 „ — „
Sa.	255 D. — C.
Hierzu: Kassenbestand aus voriger Rechnung	100 „ 75 „
Sa.	355 D. 75 C.
Ab: Obige Ausgaben	230 „ — „
Bleibt Kassenbestand	125 D. 75 C.

Die Farm besteht nun außer dem Gehöfte und dem Gemüsegarten noch aus 9 Acker Wald, 10 Acker Wiesen mit Obst, 10 Acker ein- und zweijähriger Kleebrache und 20 Acker urbarem Lande, wovon jährlich bestellt werden:

5 Acker mit Tabak in gedüngte Kleebrache,
5 „ „ Mais,
5 „ „ Kartoffeln und
5 „ „ Hafer und Klee, welche dann jedesmal 2 Jahre in Klee brach liegen.

Es kommen ferner von nun an jährlich 6 Stück fettes, selbstgezogenes, 3½jähriges Rindvieh und 10 Stück fette 2½jährige Schweine zum Verkauf.

Siebentes Jahr,

vom 1. November 1855 bis 31. October 1856.

Ausgabe:

Für Kaffee und andere kleine Bedürfnisse	40 D. — C.
„ Schmiedearbeit	10 „ — „
„ Schuhmacherarbeit	50 „ — „
„ Kleider und Wäsche	100 „ — „
„ Kirche, Schule und Abgaben	20 „ — „
„ Erneuerung von Geräthschaften	20 „ — „
Sa.	240 D. — C.

Einnahme:

Ertrag von 6 Melkkühen	18 D. — C.
„ vom Federvieh	5 „ — „
Latus	23 D. — C.

	Transp. 23	D.	— C.
Für 10 fette Schweine	40	:	— :
: 6 Stück fettes Rindvieh	48	:	— :
Ertrag von 5 Acker Tabak	160	:	— :
	Sa. 271	D.	— C.
Hierzu: Kassenbestand aus voriger Rechnung	125	:	75 :
	Sa. 396	D.	75 C.
Ab: Obige Ausgaben	240	:	— :
Bleibt Kassenbestand	156	D.	75 C.

Inventur am 31. October 1856,

als dem Schlusse des 7. Jahres.

Wohnhaus, Ställe und andere Gebäude	130	D.	— C.
50 Acker Land, davon 40½ Acker in Kultur	400	:	— :
Ackerwerkzeuge, Geschirre und andere zum Wirthschaftsbetrieb gehörige Geräthschaften ungefähr	43	:	25 :
2 Pferde nebst Fohlen	100	:	— :
6 Melkkühe à 9 Dollar	54	:	— :
6 Kälber von ½ Jahr à 1 Dollar	6	:	— :
6 Kalben von 1½ Jahr à 3 Dollar	18	:	— :
6 dergl. von 2½ Jahr à 5 Dollar	30	:	— :
2 Mutterschweine à 2½ Dollar	5	:	— :
20 Ferkel à ½ Dollar	10	:	— :
20 Läufer von 1½ Jahr à 2 Dollar	40	:	— :
Federvieh für	7	:	— :
Baares Geld	156	:	75 :
	Sa. 1000	D.	— C.

Bei vorstehender Inventur ist der Werth des Landes nur so hoch angenommen, als es dem Farmer selbst kostet; durch gute Behandlung muß es aber mindestens dreimal mehr werth geworden sein, weshalb die ganze Farm recht gut mit dem sämmtlichen Inventar wohl 1500 bis 1800 Dollar werth sein und von dem Besitzer gewiß nicht unter diesem Preise hingegeben werden wird.

Ich wiederhole, daß der, in vorstehender Berechnung angenommene Wirthschaftsbetrieb keineswegs für den deutschen Einwanderer maßgebend sein soll, obgleich ich ihn für sehr gut halte; sondern daß die

11*

ganze Berechnung nur aufgestellt ist, um zu zeigen, zu welchem Wohlstande in hiesiger Gegend ein Einwanderer in wenigen Jahren gelangen kann, wenn er nur noch einige Mittel besitzt und Fleiß mit Umsicht und Beharrlichkeit verbindet.

Wenn ich dabei von den glänzenden Berichten abweiche, die den Landbau in Nordamerika so darstellen, als ob man dadurch in kurzer Zeit mit wenig Arbeit zu Reichthum gelangen könne, so geschieht es, weil ich die feste Ueberzeugung gewonnen habe, daß dieses in keinem Theile der Vereinigten Staaten möglich ist und daß derartige Angaben stets auf Unkenntniß oder Täuschung beruhen. Tausende von Einwanderern fanden sich in ihren hohen Erwartungen bitter getäuscht, bestätigten aber doch gegen ihre zurückgebliebenen Freunde jene Berichte, um nicht wegen ihrer Leichtgläubigkeit verlacht zu werden, und obgleich sie mit dem, was sie fanden, vollkommen zufrieden sein könnten, so fühlen sie sich doch unglücklich, weil sie mit zu großen, nicht zu erfüllenden Ansprüchen ankamen. Im Gegensatz zu diesen wird jeder Auswanderer, der seine Erwartungen nach meinen Angaben herabstimmt, um so zufriedener sein, wenn er findet, daß auch ein sehr nachlässiger Landwirth noch mehr erbaut, als ich berechnete, und daß die angeführten Arbeiten auch von schwächlichen oder arbeitsscheuen Menschen noch ohne große Anstrengung ausgeführt werden können.

Schließlich muß ich noch, um mich in jeder Hinsicht zu verwahren, erwähnen, daß beim Erscheinen einer größeren Anzahl Einwanderer die Preise für Lebensbedürfnisse, z. B. Mais und Kartoffeln, steigen und so die in vorstehender Berechnung angesetzte Summe, für den Unterhalt einer Familie im ersten Jahre, nicht ausreichen könnte. Dem werde ich jedoch, so viel als in meinen Kräften steht, durch zeitige Aufkäufe im Großen vorzubeugen suchen, wozu ich jetzt schon die nöthigen Einleitungen getroffen habe, damit wenigstens keine auffallende und andauernde Preiserhöhung stattfinden kann.

Gewerbethätigkeit.

Die Industrie liegt in hiesiger Gegend noch ganz in der Kindheit. Die hier üblichen Mais- und Sägemühlen sind die einzigen, durch dringendes Bedürfniß eingeführten größeren industriellen Werke. Die ersteren können als Muster der Einfachheit und Lüderlichkeit dienen, die letzteren sind nicht viel besser; beide können in ihrer jetzigen Gestalt nur den geringen Ansprüchen der hiesigen amerikanischen Farmer genügen. So wie die deutsche Bevölkerung steigt, müssen vor Allem in diesem Zweige der Gewerbthätigkeit bedeutende Verbesserungen eintreten.

Trotz der erzreichen Gebirge und des häufigen Brennmaterials ist im ganzen County kein Eisenwerk. Außer dem verunglückten Güntherschen bei Kingston ist das nächste ungefähr 40 engl. Meilen von Wartburg an der Südgrenze von Roane-County, und fast alle Eisengußwaaren müssen aus den nordöstlichen Staaten über New-York eingeführt und deshalb wohl 200% theurer, als am Erzeugungsorte, bezahlt werden.

Ungefähr in gleicher Entfernung, an der Straße von Kingston nach Athens, befindet sich eine Baumwollspinnerei, welche dem Besitzer ungewöhnlich hohen Gewinn bringen soll. So viel ich erfahren konnte, bestehen im ganzen Süden nur einige wenige derartige Etablissements, obgleich hier der Baumwollenbau zu Hause ist. Nach amtlichen Berichten wurden im Jahre 1847 im Staate Tennessee 35,000,000 Pfund, in dem südlich angrenzenden Alabama 60,000,000 Pfund, und in dem, durch Eisenbahnen und schiffbare Flüsse in der engsten Verbindung mit Tennessee stehenden Georgia, gar die ungeheure Menge von 210,000,000 Pfund Baumwolle erbaut, welche fast sämmtlich ausgeführt, in Europa gesponnen und zu Stoffen ver-

webt, und in dieser Form für den hiesigen Bedarf theilweise wieder eingeführt wurde. Sachverständige versicherten mir, daß, wenn hier Spinnereien angelegt würden, die Besitzer sechsmal höhere Arbeitslöhne zahlen könnten, als in Deutschland, und dann doch noch gegen dortige Spinnereien in großem Vortheil stehen würden, vorausgesetzt, daß sie die nöthigen Kapitalien besäßen, um die besten Maschinen anschaffen zu können, die in den nördlichen Staaten in hoher Vollkommenheit gebaut werden. Könnten mit Spinnerei zugleich Weberei und andere damit in Verbindung stehende Gewerbe eingeführt werden, so müßten alle sehr gut gedeihen, da Zölle, Frachten und der hohe Gewinn, den die Kaufleute des Südens nehmen, dergleichen Waaren jetzt sehr vertheuern, wodurch wieder deren Verbrauch geschmälert wird.

Aber nicht allein Fabrikindustrie fehlt hier gänzlich, sondern selbst die gewöhnlichsten und einfachsten Gewerbe sind so schwach und so unvollkommen vertreten, daß man fast Alles, was in Deutschland von Professionisten verfertigt wird, mit sehr großen Kosten über Nashville, Knoxville und Charleston aus dem Norden bezieht. In dem ganzen, 760 engl. Quadratmeilen großen Kanton Morgan ist nicht ein einziger Handwerker zu finden, der ein Stück Waare vorräthig hält, und wenn etwas bestellt wird, so dauert die Anfertigung lange Zeit und kostet so viel, daß Jedermann vorzieht, Alles im Store zu kaufen, obgleich man in ihm für Fabrikwaaren sehr hohe Preise zahlen muß.

Würde sich nun eine Stadt bilden, wo Handwerker aller Art beisammen wohnen, die ausschließlich ihr Gewerbe betreiben und womöglich Waarenvorräthe zu mäßigen Preisen halten, wie solche Städte in den nördlichen Staaten häufig sind, so dürfte dies auf den Wohlstand aller Bewohner des County's ebenfalls einen sehr günstigen Einfluß haben. Denn während jetzt der Farmer Tage verschwenden muß, um wegen eines im Store nicht befindlichen Gegenstandes zu einem, auf einer entfernten Farm wohnenden Professionisten zu reiten, dieses Ding erst zu bestellen, dann abzuholen, auch wohl unterdessen einige Male vergeblich nachzufragen, der auf dem Lande wohnende Professionist aber nach jeder Bestellung erst in den vielleicht sehr entfernten Store zu gehen und das nöthige Arbeitsmaterial einzukaufen hat, kann durch Anlegung eines wöchentlichen Markttages in einer gut gegründeten Stadt alles dieses vermieden werden. Der Farmer kann dann den Ueberschuß seiner Erzeugnisse zu Markte bringen und seine

Bedürfnisse an Artikeln der Gewerbthätigkeit an demselben Tage mit wenig Zeitaufwand befriedigen, während der Professionist Lebensmittel und Rohstoffe nahe zur Hand hat und ungestört bei seiner Arbeit bleiben kann. In diesem Falle werden aber auch die Farmer eine Menge Dinge von den städtischen Professionisten entnehmen, die zeither ganz entbehrt, oder nothgedrungen selbst angefertigt werden mußten.

Jedenfalls ist für Handwerker die hiesige Gegend sehr empfehlenswerth, nur müssen sie nicht, wie so viele Deutsche, glauben, daß die Tauben hier zu Lande gebraten umherflögen. Sie müssen bedenken, daß man auch hier arbeiten muß, um sein Brod zu verdienen, ja daß man in Amerika sein Gewerbe besonders gut verstehen muß, weil unbeschränkte Gewerbefreiheit den unwissenden Professionisten bald zum Handarbeiter herabdrückt, und daß man durch übermäßige Lohnforderung sich zwar augenblicklich einen großen Vortheil schafft, so lange man keine Konkurrenz hat, aber auch eben so gewiß alle Kundschaft verliert, sowie Konkurrenz eintritt.

Ich erwähne noch einen Uebelstand, den alle deutschen Ansiedler bitter empfinden, der aber aus gleichen Ursachen eben so in allen neu angebauten Distrikten vorkommt. Es ist dies der große Mangel an baarem Gelde. Ein großer Theil des von den Einwanderern mitgebrachten Geldes, den die Landverkäufer, hier Privatpersonen, in andern Staaten Kongreßbeamte, erhalten, wird von diesen auswärts geschafft, oder von den hiesigen Amerikanern nicht wieder ausgegeben. Der immer noch bedeutende Ueberrest, welcher zur Belebung des Verkehrs außerordentlich wohlthätig wirken würde, wandert wegen Mangel an Industrie recht bald in die Hände der Store-Inhaber und durch diese in die entfernten größern Handels- und Fabrikorte. Dieser Uebelstand wird nur dann aufhören, wenn sich eine entsprechende Anzahl Handwerker in einer wirklichen Stadt ansiedeln und die Farmer den Anbau von Handelsgewächsen bald im Großen betreiben, damit mit deren Ausfuhr der Werth der etwa noch einzuführenden Rohstoffe und Fabrikate ausgeglichen werden kann und dafür nicht immer wieder das baare Geld fortgesendet werden muß.

Absatzwege.

Die Ausfuhr der hiesigen Produkte hat sich bis jetzt auf Schlachtvieh, Pferde und Maulesel beschränkt. Das Schlachtvieh wurde, wie schon früher erwähnt, von umherreisenden Viehhändlern vom August bis October aufgekauft und in großen Heerden entweder über Knoxville und Richmond nach Baltimore, oder über Kingston nach Dalton getrieben, und von letzterem Orte aus auf der Eisenbahn nach Augusta, Charleston, Savannah und andern südlichen Handelsstädten gebracht, wo es theils zur Verproviantirung der Schiffe dient, theils von der Sklavenbevölkerung verzehrt wird, da diese letztere außerordentlich viel Fleisch genießt, die Plantagenbesitzer aber nur wenig Schlachtvieh ziehen. Pferde und Maulesel wurden größtentheils für die Pflanzer des Südens angekauft. Der Mais, welcher über eigenen Bedarf erbaut wurde, gab Futter für die großen Heerden Schweine, welche ebenfalls alljährlich aus Kentucky kommen und durch Morgan-County über Kingston nach dem Süden gehen. Man sagte mir, daß auf dieser Straße jährlich mindestens 30,000 Stück Schweine durch den Kanton passiren, und ich habe selbst noch Ende November theils auf der Eisenbahn, theils auf der Straße mehreren solchen, wenigstens 500 Stück zählenden Heerden begegnet. Seit die Einwanderung der Deutschen so zugenommen hat, muß bereits eine ziemliche Quantität Mais aus den am Tennessee gelegenen County's eingeführt werden, wo in guten Jahren der Bushel mit 10—15 Cent bezahlt wird, während sich hier der Preis schon seit mehreren Jahren auf 30 Cent und darüber gehalten hat, und bei vermehrter Einwanderung fortwährend steigen dürfte, bis überhaupt der Mais durch Weizen und Roggen verdrängt wird. Auch der Preis des Schlachtviehes hat bereits wegen vermehrten Verbrauches angezogen. Man

verkauft Schweine ausgeschlachtet nicht unter 2½, gewöhnlich 3 Cent per Pfund, frisches Rindfleisch ebenfalls mit 3 Cent. Kartoffeln mangeln noch sehr und werden gern mit 25—30 Cent der Bushel bezahlt. Die Preise aller übrigen Produkte schwanken bedeutend, je nachdem sie gesucht oder ausgeboten werden. Deutsche Kolonisten konnten noch wenig verkaufen, weil die meisten erst seit 1—1½ Jahr hier sind und noch mit der Einrichtung zu thun haben, die frühern Ankömmlinge aber sehr arm waren und größtentheils erst durch Arbeiten für die Kompagnie ihre Lebensmittel erwerben mußten, ehe sie zur besseren Bebauung ihrer Farms vorschreiten konnten.

Die Ausfuhr von Vieh wird auch ferner denselben Weg gehen, besonders wenn man mehr für die Veredlung der Racen thun wird, und alle übrigen landwirthschaftlichen Produkte, mit Ausnahme der Handelsgewächse, werden noch lange Jahre in der Kolonie selbst guten und raschen Absatz finden, da die Einwanderung alljährlich zunehmen wird und jeder Ankömmling doch wenigstens ein Jahr lang alle Lebensmittel kaufen muß. Für Tabak und andere Handelsgewächse aber sind die schönsten Aussichten vorhanden, denn wenn einmal verstärkter Anbau stattfindet, so sind auch spekulative Amerikaner als Aufkäufer da, welche diese Produkte ausführen, und es ist kein Grund zu der Befürchtung vorhanden, daß die Ausfuhr irgend eines Handelsartikels nicht rentiren, oder überhaupt nicht möglich sein sollte.

Diejenigen, welche behaupten, Ost-Tennessee liege von aller Verbindung abgeschnitten, müssen sehr wenig Kenntnisse von der geographischen Lage desselben haben. Wer eine Landkarte zur Hand nimmt, wird finden, daß Knoxville, der Hauptort von Ost-Tennessee, durch den Holston, Kingston durch den Clinch, andere Städte durch den Hiwassee, alle aber durch den schiffbaren Tennessee, welcher jene ebenfalls schiffbaren Ströme aufnimmt und nach einem langen Laufe durch Tennessee, Alabama und Kentucky bei Paducah in den Ohio mündet, mit dem ganzen ungeheuern Binnenlande Nordamerika's, sowie mit New-Orleans in Verbindung stehen. Der Tennessee wird von hier abwärts bis Decatur in Alabama bereits mit vier Dampfschiffen befahren, und eben bildet sich eine Gesellschaft, um ein fünftes zu erbauen, um damit auch den Clinch oberhalb Kingston, und den Big-Emery wenigstens sechs Meilen aufwärts zu beschiffen. Von Decatur bis Tuscombia in Alabama führ.. eine Eisenbahn, weil dort der Tennessee bei dreifacher Breite zu flach und reißend für Dampfschiffe ist und diese Strecke nur abwärts mit

12

Flachbooten befahren werden kann. Von Tuscombia ist die Dampfschifffahrt nicht mehr gehindert, und es gehen von hier aus Dampfschiffe direkt bis New-Orleans. Auf diesem Wege ist es von Kingston bis New-Orleans um ein Bedeutendes näher, als von Milwaukie in Wisconsin bis New-York. Dieser letztere Weg wird aber allgemein als ein besonders günstiger Handelsweg gerühmt, dagegen Ost-Tennessee, als in einer unzugänglichen Wüste gelegen, verschrieen!

Andere Hauptabsatzwege bieten sich dar auf den vielen, vom Tennessee ab nach dem Süden und Südosten führenden Eisenbahnen, die theils schon befahren werden, theils noch im Bau begriffen sind.

Die große Süd-Karolina- und Georgia-Bahn, von Charleston, dem Haupthafen Süd-Karolina's, über Hamburg nach der bedeutenden Handelsstadt Augusta in Georgia und von da über Atalanta und Dalton nach Chattanooga in und am Tennessee ist bereits bis Dalton fertig und der Bau der letzten Strecke von 36 engl. Meilen (7¼ deutsche M.) bereits so weit vorgerückt, daß sie im Herbste 1849 dem Betriebe übergeben werden kann. Von Chattanooga bis Kingston brauchen die Dampfschiffe nicht ganz 24 Stunden, und es kostet schon jetzt ein Centner von Kingston bis Charleston noch nicht zwei Dollar Fracht, welcher Preis nach Vollendung der Eisenbahn gewiß auf 1½ Dollar sinken wird. Man kann auf diesem Wege im günstigsten Falle von Kingston aus in 6—7 Tagen New-York erreichen, welche Zeit nur dadurch verlängert wird, daß man vielleicht in Kingston auf ein Dampfschiff, und in Chattanooga einen Tag auf die von Nashville nach Dalton gehende Stage (Postkutsche) warten muß. Nach Eröffnung der ganzen Bahn werden jedoch auch diese Hindernisse wegfallen.

Die ganze Entfernung zwischen New-York und Kingston beträgt ungefähr 1200 engl. Meilen, während Milwaukie in Wisconsin 1600 engl. M. von New-York entfernt ist.

Von erwähnter Eisenbahn gehen einige kleine Zweigbahnen nach im Aufblühen begriffenen Städten, und eine größere von Atalanta über Macon nach Savannah, dem Haupthafen in Georgia, welcher, sowie auch Charleston, mit den Häfen in Florida und mit Westindien in Dampfschiffverbindung steht. Eine Fortsetzung der Hauptbahn von Dalton aus nach Knoxville ist bereits im Bau und muß 1852 vollendet werden. Von Knoxville aus soll diese

Bahn nach Richmond in Virginien fortgesetzt werden, wo sie auf die Hauptbahn aus dem Süden über Washington, Baltimore, Philadelphia, New-York nach Westen stößt. Sollten auch noch zehn Jahre vergehen, ehe diese letzte Strecke fertig wird, so ist doch nichts gewisser, als daß sie wirklich gebaut wird, und dann besitzt Ost-Tennessee auch nach dieser Seite hin direkte Verbindungswege nach sämmtlichen alten Staaten der Union und deren Hauptbandelsplätzen. Jetzt wird diese Verbindung unterhalten durch eine gut fahrbare Straße von Knoxville nach Richmond.

Eine zweite große Bahn von Nashville direkt nach New-Orleans ist im Bau, wird von beiden Endpunkten aus schon streckenweis befahren, soll den Tennessee bei Tuscombia überschreiten und kürzt sonach, wenn sie fertig ist, den Weg nach New-Orleans abermals um ein Viertheil seiner gegenwärtigen Länge ab.

Eine dritte projektirte Bahn wird von Nashville nach Selma am schiffbaren Alabama-River im Staate Alabama führen, und den Tennessee schon bei Claysville überschreiten; diese bringt Ost-Tennessee mit Mobile, dem Haupthafen von Alabama am merikanischen Meerbusen, in nahe Verbindung.

Von allen diesen außerordentlichen Kommunikationswegen ist Wartburg nur 22 engl. (4½ deutsche) Meilen entfernt und wird Neu-Chemnitz nur 12 engl. (2½ deutsche) Meilen entfernt sein, auf welcher letztern Strecke durch gemeinschaftliche Anstrengung bald eine gute Straße angelegt werden kann; wird aber der Big-Emery nur 6 Meilen aufwärts mit Dampfschiffen befahren, so ist nur eine Straße von höchstens 7½ engl., oder 1½ deutschen Meilen herzustellen. Wenn aber dieser Fluß auf Staatskosten, oder nur unter Mithülfe des Staates, weiter aufwärts schiffbar gemacht wird, so geschicht dies jedenfalls, wie schon früher gesagt, bis Neu-Chemnitz, und dieser Ort muß dann der Stapelplatz alles Aus- und Einfuhrhandels für Morgan-County und die davon nördlich und nordwestlich liegenden County's werden.

Die hiesige Gegend wird ferner durchzogen von den schon mehrmals erwähnten Straßen aus Kentucky nach dem Süden, und von Nashville nach Knoxville, welche ziemlich gut zu befahren sind und in dieser Beziehung andern Hauptstraßen der Vereinigten Staaten nicht nachstehen dürften. Auf diesen Straßen erreicht man jetzt von Wartburg aus mit schwerem Fuhrwerke in 6—7 Tagen das, 140 engl. (28 deutsche) Meilen entfernte Nashville, die Hauptstadt

12*

von ganz Tennessee, am schiffbaren Cumberland=River, welche bedeutenden Handel treibt, und von wo aus wenigstens sechs Dampfschiffe direkt mit New=Orleans verkehren. In noch kürzerer Zeit kann man nach dem, nur 80 engl. (16 deutsche) Meilen von Wartburg entfernten Gainesborough kommen, welches weiter oben am Cumberland liegt, und durch kleine Dampfschiffe mit Nashville in Verbindung steht. Da nun der Cumberland ebenfalls in den Ohio mündet, nachdem er Kentucky durchströmte, so ist auch auf diesen Wegen eine Wasserstraße nach allen nördlichen, nord= und südwestlichen Theilen der Union in der Nähe.

Endlich giebt es noch einen Weg, um Produkte leicht und mit wenig Kosten nach allen, den Tennessee, Ohio und Missisippi abwärts liegenden Orten bis New=Orleans zu bringen, welcher bereits seit längerer Zeit von den Anwohnern der, höher aus Nordosten herabkommenden Zuflüsse des Tennessee zur Ausfuhr ihrer frischen Aepfel, des daraus bereiteten Cyders, des gesalzenen Schweinefleisches, sowie ihres Ueberflusses an Bauholz benutzt wird. Diese bauen nämlich von rohen Balken und Bretern 40—50 Fuß lange und 16—18 Fuß breite Flachboote, welche schwimmende Häuser mit mehreren Abtheilungen bilden, und schaffen auf denselben ihre Produkte den Fluß hinab. In Kingston, Chattanooga und allen irgend bedeutenden Orten wird angehalten, der Bushel Aepfel mit 50 Cent, die Gallone Cyder mit 20 Cent verkauft, das Fleisch in Alabama und Missisippi abgesetzt, auch wohl bis New=Orleans geschafft. Ist die Ladung abgesetzt, so wird das Boot als Bauholz verkauft und dafür 40—60 Dollar gelöst. Die Führer, gewöhnlich drei Mann, gehen dann mit Dampfschiff in die Heimath zurück. Da nun der Big=Emery bei hohem Wasserstande unbedingt auch jetzt schon mit derartigen Booten stromabwärts zu befahren (boatbar) ist, so steht für die zukünftigen Bewohner von Neu=Chemnitz und dessen Umgebung bereits ein Weg offen, auf dem sie die Produkte ihrer Ländereien und ihres Gewerbfleißes, namentlich auch die herrlichen Bau= und Nutzhölzer, womit der ganze County dicht bestanden ist, sehr leicht ausführen und gut verwerthen können.

Was die Gesetze und staatlichen Verhältnisse Tennessee's betrifft, so fand ich nicht Zeit, mich über sie speciell zu unterrichten, weshalb ich diesen Gegenstand vorläufig unberührt lasse. Später werde ich Constitution und Gesetzsammlung in deutscher Uebersetzung veröffent=

lichen, jetzt bemerke ich nur so viel, daß die Abgaben auch in diesem Staate sehr geringfügig, und im Vergleiche zu den deutschen kaum erwähnenswerth sind. Jedermann zahlt jährlich nach dem *selbst geschätzten Werthe seines Besitzthums* eine Kleinigkeit; alle Gewerbe sind steuerfrei, und nur der Handel mit geistigen Getränken in kleinen Quantitäten (unter ¼ Gallone) unterliegt der allerdings sehr hohen Besteuerung von 12 %, wobei man annimmt, daß 250 Dollar der niedrigste jährliche Erlös eines Spirituosenhandels ist, und also Jeder, der mit diesen Artikeln handelt, jährlich mindestens 30 Dollar zu zahlen hat.

Rathschläge für Auswanderer,

welche einzeln über Bremen und New=York nach der deutschen Kolonie Neu=Chemnitz reisen wollen.

Wenn der Entschluß zur Auswanderung gefaßt ist, so verkaufe man zuerst seine unbeweglichen Besitzungen und ziehe alle seine außenstehenden Gelder ein.

Erst wenn dies geschehen, bestimme man den Tag der Abreise und besorge sich nun bei dem nächsten Agenten Plätze zur Einschiffung in Bremen, wobei man wohl darauf zu achten hat, daß noch hinlängliche Zeit bleibt, das Gepäck mit Frachtfuhre oder Eisenbahn=Güterzug nach Bremen zu schaffen. Einzelne Personen werden besser thun, wenn sie, nachdem alle Vorbereitungen getroffen und das Gepäck abgegangen ist, gleich nach Bremen reisen und dort sich unmittelbar an einen vereideten Schiffsmäkler wenden, wo sie in der Regel sofort einen Platz zu billigen Preisen bekommen. Für Familien ist dies Verfahren weniger rathsam, da, falls nicht baldigst ein Schiff nach New=York abgeht, durch den längeren Aufenthalt in Bremen eine meistens nicht berechnete Mehrausgabe entsteht.

Man nehme mit: Kleider, Wäsche, Schuhwerk, Betten, metallenes Küchengeschirr, gutes Porzellan, einige gute Glasgeschirre; die letzteren Gegenstände jedoch nur dann, wenn sie schon in der Wirthschaft vorhanden waren und nicht erst gekauft werden müssen, in welchem Falle man sich auf das Unentbehrlichste beschränken mag. Ferner: Sensen, Sicheln, Aexte, Beile, Radehauen, Hacken, Heu= und Düngergabeln, Schaufeln, Spaten und alle dergleichen kleine eiserne Geräthschaften, welche in der Wirthschaft vorräthig sind, doch alle ohne Stiele, vielleicht auch Pflugschaar

und Sech. Professionisten ihr ganzes Werkzeug, mit Ausnahme großer, schwerer und solcher Stücke, die sie leicht selbst wieder anfertigen können, und verpacke diese Sachen in Kisten oder Laden.

Die Kisten werden auf der Reise bei dem öfteren Umladen sehr herumgeworfen, müssen deshalb von starken Bretern und die Ecken wo möglich mit Eisen beschlagen sein. Starke Laden mit verschließbarem Deckel, den man noch mit einigen Holzschrauben befestigt, sind besonders zweckdienlich; Fässer und Truhen mit gewölbtem Deckel taugen hingegen gar nichts. Vorlegeschlösser bringe man nirgends an, sie werden meistens abgerissen; man schlage in den Schloßhaken einen Pflock und befestige den Deckel außerdem mit Schrauben.

Sehr große Kisten machen viel Beschwerde; wer neue braucht, lasse sie höchstens 3 Fuß lang, 3 Fuß hoch, 2¼ Fuß breit und mit verschließbarem Deckel machen. Wer die Deckel mit Schrauben befestigt hat, muß einen guten Schraubenzieher stets zur Hand haben.

Die Betten werden fest zusammengerollt und mit Bindfaden umwunden, damit sie nicht zu viel Raum einnehmen, alle Zwischenräume in den Kisten sorgfältig mit kleinem Geräthe, Wäsche oder Kleidern ausgefüllt, zerbrechliche Sachen recht fest zwischen etwas Heu oder weiche wollene Stoffe gepackt; Eisenzeug auf den Boden der Kisten und nicht mit zerbrechlichen Gegenständen zusammen.

Eine kleine Kiste, etwa 24 Zoll lang, 15 Zoll breit, 15 Zoll hoch, muß man haben, um Lebensmittelvorräthe darin aufzubewahren. Sie steht auf dem Schiffe vor der Schlafstelle, dient zugleich als Sitz und muß deshalb einen starken, verschließbaren Deckel mit Bändern haben. Schubkästen wie man sie beim Schachtelmacher und in Bremen überall findet, sind ganz unzweckmäßig; es fehlt an Platz zum Aufziehen des Deckels und dieser bricht, sobald sich Jemand derb darauf setzt, was bei dem Schwanken des Schiffes sehr oft geschieht.

Zum Gebrauch auf dem Schiffe behält man von seinem Geschirr bei der Hand: eine zinnerne oder blecherne Kaffeekanne und für jede Person einen Teller von Zinn, eine Tasse von Steingut, Löffel, Messer, Gabel. Was sonst noch an Eß- und Trinkgeschirren nöthig ist, kauft man in Bremen, wo alle Gefäße für jede beliebige Personenzahl billig zu haben sind. Diese Sachen verpacke man einstweilen in die kleine Kiste.

Man ziehe auf der Reise die schlechtesten, aber warme Kleider an, und behalte, weil man häufig sehr naß wird, noch einen Anzug, so-

wie Wäsche für die ganze Reise, darunter einige Bett=Tücher, an der Hand. Diese Sachen werden am Besten in Reisetaschen, Jagdtaschen, Büchsenranzen oder Quersäcke verpackt, damit sie zugleich als Kopfkissen benutzt oder doch leicht in der Koje untergebracht werden können. Filzschuhe und Babuschen können nur unter Deck gebraucht werden, da es auf demselben, auch bei dem schönsten Wetter, fast immer sehr naß ist. Wenn man auf dem Schiffe trockene Füße behalten will, so muß man Stiefeln oder Schuhe mit Korksohlen oder doppelten starken Ledersohlen anziehen, gewöhnliche einfache Ledersohlen, einmal durchnäßt, trocknen nicht wieder, weshalb es unzweckmäßig ist, mit gewöhnlichem Schuhwerke zu wechseln.

Hüte werden auf dem Schiffe leicht verderben, wenn man nicht sehr dauerhafte Futterale dazu hat. Man kauft in New=York einen hübschen Hut für 1½—2 Dollar. Jede Mütze, die man auf dem Schiffe in Gebrauch nehmen will, versehe man mit Sturmbändern.

Alles, oben nicht genannte, bewegliche Eigenthum verkaufe man vor der Abreise, nöthigenfalls durch Auktion.

Wer hinlängliches Vermögen besitzt, mag sich reichlich mit Leinenzeug, Schuhwerk und Kleidern versehen, die letzteren von dauerhaften Stoffen. Wer jedoch nicht Ueberfluß an Geld hat, wird wohl thun, dergleichen Einkäufe zu unterlassen, dafern er mit seiner Wäsche und seinem Kleidervorrathe wenigstens zwei Jahre auskommt, denn nach dieser Zeit wird er das Fehlende in Amerika auch anschaffen können, während er im Anfange das baare Geld weit nöthiger braucht.

Vor der Abreise wechsele man so viele Louisd'or ein, als man zur Bezahlung der Ueberfahrt braucht, welche in Bremen stets in dieser Münzsorte geleistet wird. Alles übrige Geld nehme man in Thalerstücken mit und verwechsele diese in Bremen gegen englische, holländische oder französische Goldstücke, wenn man nicht gleich amerikanisches Gold bekommen kann. Da der Cours dieser Münzen nicht immer gleich steht, so muß man entweder selbst berechnen, oder sich vom Geldwechsler sagen lassen, mit welcher Münzsorte man am besten wegkommt.

Besitzt man nur wenig Geld, so nähe man alles in eine leinene Binde und trage diese bis ans Ziel der Reise Tag und Nacht um den Leib; ist dagegen das Vermögen bedeutend, so verwahre man auf diese Weise nur reichlich so viel, daß davon die Reisekosten bestritten werden können, das übrige verpacke man gut in eine größere Kiste, die nicht so leicht gestohlen werden oder verloren gehen kann,

behalte diese dann aber stets bei sich. Es ist eine große Unvorsichtigkeit, sein Geld in Reisetaschen, Handkörbchen u. s. w. zu verwahren, und schon viele Auswanderer kamen durch solche Nachlässigkeit um ihr ganzes Vermögen, ehe sie ihren Ansiedlungsort erreichten.

Wer seine Familie noch in der Heimath läßt, thut wohl, seine Effekten in Bremen gegen Seegefahr zu versichern, welches der Schiffsmäkler besorgt, und den Versicherungsschein (Police) sogleich nach Hause zu schicken, damit der Familie wenigstens das Vermögen erhalten wird, wenn das Schiff verunglücken sollte. Man bezahlt dafür 1—1½ % Prämie. Geld ist in diesem Falle in guten Wechseln auf ein New-Yorker Handelshaus mitzunehmen.

In Bremen kauft man blechernes Eß- und Trinkgeschirr, soweit man noch nicht damit versehen ist, und je nach der Jahreszeit etwas frische Butter, Schinken, Wurst, frisches Obst, getrocknete Pflaumen, einige Citronen, saure Gurken, weißen Schiffszwieback, einige Flaschen weißen Wein, etwas Essig, Zucker und gebrannten Kaffee; denn obgleich man Kost bekommt, so werden doch alle diese Dinge sehr willkommen sein. Man gehe jedoch mit diesen Einkäufen ja nicht über seine Kräfte.

Auch bei kalter Witterung ist es im Zwischendeck ziemlich warm, weshalb es, wenn auch nicht unnöthig, aber für den Abgehärteten entbehrlich ist, auf der Reise Federbetten in Gebrauch zu nehmen, die dadurch sehr leiden. Es genügt eine Matratze von Seegras oder ein Strohsack nebst einer wollenen oder wattirten Decke, welche man in Bremen billig kauft; wer bereits solche Decken besitzt, mag sie von Hause mitnehmen. Strohsäcke müssen in New-York vor dem Anlanden ausgeschüttet werden; Seegrasmatratzen darf man behalten und kann sie sehr gut brauchen, wenn man auf Kanal-, Dampf- oder Segelschiffen weiter geht.

Man kaufe alles Nöthige in Bremen, da in Bremerhaven alles theurer ist. Dem Auswanderer werden in allen Hafenstädten eine Menge Dinge als nothwendig vorgeschlagen und zum Kauf angeboten werden. Er hüte sich sehr, sein Geld zu verländeln, und befolge den Grundsatz: nicht das Nothwendige, sondern nur das Unentbehrliche zu kaufen.

Wenn der Auswanderer von dem Schiffsmäkler, mit dessen Unter-Agenten er Kontrakt geschlossen hat, nicht zur bestimmten Zeit auf ein Schiff gewiesen wird, so verlange er Kost und Logis bis zur

13

Abfahrt; weigert sich der Mäkler dies zu geben, so wende sich der Auswanderer ohne Zögern an das Stadtgericht um Hülfe.

Auf dem Schiffe halte man seine Sachen stets zusammen, wo möglich unter Verschluß oder Aufsicht.

Die eingeführte Schiffsordnung befolge man stets genau, gehe der Schiffsmannschaft bei ihren Arbeiten freiwillig aus dem Wege und belästige sie nicht mit Fragen, während sie mit der Leitung des Schiffes zu thun haben.

Man verzehre die mitgenommenen Lebensmittel und Getränke nicht zu schnell, da sie immer angenehmer werden, je länger die Reise dauert. Getrocknete Pflaumen benutze man besonders bei Unwohlsein und wenn sich Verstopfung einstelle. Um diese kochen zu können, nehme man auch einen eisernen oder blechernen Kochtopf nebst Deckel mit.

Es ist auch gut, Eau de Cologne oder Hoffmannsche Tropfen und ein Schächtelchen Pillen bei sich zu haben.

In New-York wende man sich sogleich nach Ankunft wegen Weiterbeförderung an Herrn Löscher, Greenwich-Street Nr. 74, welcher weitere Verhaltungsregeln über die Reise von Charleston nach Neu-Chemnitz ertheilen und Anweisungen mitgeben wird, gegen welche man auf der Reise von Charleston bis Chattanooga die Hälfte des Fahrpreises erlassen bekommt.

Ich rathe Jedem, mit Segelschiff von New-York nach Charleston zu gehen, welches 6—12 Tage dauert und ohne Beköstigung im Zwischendeck 6 Dollar kostet. Kajüte wird nicht viel theurer sein; ich hörte, daß man darin, einschließlich der Kost, für 9—11 Dollar übergefahren ist. Es besteht für diese Fahrt kein fester Preis, man muß mit dem Kapitain des Schiffes handeln.

Man lasse sich in New-York mit keinem der in meiner Reisebeschreibung erwähnten Rathgeber ein, sondern behalte sein Reiseziel unverrückt im Auge, kürze auch den Aufenthalt in dieser Stadt möglichst ab.

Wer in New-York auf irgend eine Weise betrogen wurde, wende sich sofort an den Volksverein zur Bewahrung deutscher Einwanderer vor Betrug, welcher die Klage sofort untersuchen und dem Kläger, wenn es irgend möglich ist, zu seinem Rechte helfen wird, ohne dafür Bezahlung zu verlangen.

Wer Geld genug besitzt, nehme sich von New-York einen Kochofen mit, welcher, mit Einschluß von 16 Stück Geschirr, 8—12 Dollar

kostet. Er wird am besten transportirt in einer offenen Kiste mit Handhaben von Stricken. Wenn man die Kiste zumacht, so ist er schwerer zu verpacken und wird durch das Umstürzen derselben leicht beschädigt.

In ganz Amerika akkordire man überall, wo man etwas genießen oder über Nacht bleiben will, den zu zahlenden Preis voraus. Wird zu viel gefordert, so frage man erst in einem andern Gasthause, wenn ein solches da ist, nach dem Preise.

Wenn man sein Gepäck weiter transportiren, oder sich überhaupt nur die geringste Dienstleistung thun lassen will, auch wenn diese freiwillig und scheinbar unentgeldlich angeboten wurde, bedinge man ebenfalls jedesmal zuvor den Preis, wenn man nicht in den Fall kommen will, unverschämt geprellt zu werden.

Man lasse sich ja nicht verleiten, irgendwo Land zu kaufen, ohne es vorher gesehen zu haben. Sollte ein Einwanderer sich dennoch veranlaßt finden, die beabsichtigte Ansiedlung in Neu-Chemnitz aufzugeben, so prüfe er vor Abschluß eines Kaufes aufs sorgfältigste, ob der Verkäufer auch rechtmäßiger Besitzer des angebotenen Landes ist. Man kaufe ferner nach der Zahl der Acker und lasse sich diese vor geleisteter Zahlung vermessen, da es nichts Seltenes ist, daß die Amerikaner ihre Farms weit größer, ja wohl noch einmal so groß angeben, als sie wirklich sind.

Berechnung der Reisekosten

für eine Familie von fünf Personen, darunter zwei Kinder unter zwölf Jahren,

von Leipzig aus über Bremen, New-York, Charleston nach Neu-Chemnitz.

Fahrgeld auf der Eisenbahn von Leipzig nach Bremen in 3. Wagenklasse à Person 4 Thlr. 12½ Ngr. . .	22 Thlr.	2½ Ngr.
Zehrungskosten bis Bremen	2 „	15 „
Fracht für 12 Centner Gepäck mit dem Güterzuge von Leipzig nach Bremen à 25 Ngr.	10 „	— „
Preuß. Courant	34 Thlr.	17½ Ngr.

Zehrungskosten in Bremen 2 Tage, täglich ½ Bremer Thaler à Person	5 Thlr.	— Groot.
Getränk und Trinkgelder	1 „	— „
Für 5 Matratzen nebst Kopfkissen à 2 Thlr. (Strohsäcke kosten von ½—1 Thlr., wollene oder wattirte Decken von 1—2 Thlr. das Stück. Es wird angenommen, daß die letzteren vom Hause mitgebracht wurden)	10 „	— „
Für blechernes Eß-, Trink-, Wasch- und Nachtgeschirr	2 „	36 „
Für Extra-Lebensmittel und Getränke höchstens	10 „	— „
Passagegeld nach New-York, höchster Preis bei Familien mit Kindern, 38 Thlr. à Person	190 „	— „
Latus	218 Thlr.	36 Groot.

	Thlr.	Groot.
Transp.	218 Thlr.	36 Groot.
Kopfgeld in New-York à Person 3 Thlr. . . .	15 =	— =
Das Gepäck auf den Weserkahn zu schaffen. .	1 =	12 =
Fahrt nach Bremerhaven auf dem Dampfschiffe à Person 36 Groot	2 =	36 =
Bremer Geld	237 Thlr.	12 Groot.

	D.	C.
Für Obst und frisches Brod, bei Ankunft in New-York auf dem Schiffe gekauft, amerikanisches Geld	— D.	50 C.
Fortschaffung des Gepäckes vom Schiffe in den Gasthof, 2 Fuhren à 50 Cent	1 =	— =
Zehrung im Gasthause, 4 Tage, à Person 50 Cent pro Tag, Kinder unter 12 Jahren bei Kost und Transport stets für eine halbe Person gerechnet . . .	8 =	— =
Getränk, Obst u. s. w.	1 =	— =
Transport des Gepäckes auf ein Segelschiff. . . .	1 =	— =
Passagegeld nach Charleston im Zwischendeck eines Segelschiffes, 3½ Person à 6 Dollar	21 =	— =
Lebensmittel auf 12 Tage.	12 =	— =
Zehrung auf 1 Tag in Charleston	4 =	— =
Transport des Gepäckes vom Schiffe nach der Eisenbahn	1 =	— =
Fahrgeld auf der Eisenbahn bis Hamburg à Person 2 Dollar 72 Cent	10 =	88 =
Ueberfracht für 800 Pfund, à 50 Cent pro 100 Pfund	4 =	— =
Transport des Gepäckes von Hamburg nach Augusta auf den Georgia-Eisenbahnhof	1 =	— =
Brückengeld für 5 Personen à 2 Cent	— =	10 =
Lebensmittel auf 1 Tag	1 =	— =
Aufenthalt in Augusta, 1 Tag im Gasthause . . .	4 =	— =
Fahrgeld nach Atalanta à Person 3½ Dollar . . .	14 =	— =
Ueberfracht à 60 Cent pro 100 Pfund	4 =	80 =
Frühstück in Atalanta	1 =	— =
Lebensmittel bis Dalton	— =	50 =
Fahrgeld bis Dalton à Person 2 Dollar	8 =	— =
Ueberfracht à 25 Cent von 100 Pfund	2 =	— =
Latus	103 D.	78 C.

	Transp. 103 D. 78 C.
Abendessen, Nachtlager und Frühstück in Dalten im Cherokee-Hotel	2 : — :
Fuhrlohn für das Gepäck bis Chattanooga à 30 Cent von 100 Pfund	3 : 60 :
Lebensmittel und ein Nachtquartier auf der Reise nach Chattanooga	4 : — :
Zehrung in Chattanooga, 3 Tage à Person 1 Dollar pro Tag	12 : — :
Passagegeld auf dem Dampfschiffe nach Kingston in der Kajüte	12 : — :
Lagergeld für das Gepäck im Lagerhause zu Chattanooga à 10 Cent von 100 Pfund	1 : 20 :
Ueberfracht à 30 Cent von 100 Pfund	2 : 40 :
Zehrung in Kingston	2 : — :
Fuhrlohn für das Gepäck von Kingston nach Wartburg oder Neu-Chemnitz, 40 Cent für 100 Pfund . .	4 : 80 :
Zehrung und Nachtlager auf der Fußreise nach Wartburg	2 : 50 :
Fährgeld über den Clinch und Big-Emery, à Person jedesmal 5 Cent	— : 50 :
	Sa. 150 D. 78 C.

Wiederholung.

Von Leipzig bis Bremen Preuß. Cour. . . .	34 Thlr. 17½ Ngr.
Von Bremen bis New-York, Bremer Geld 237 Thlr. 12 Groot	246 : 26½ :
Von New-York bis Neu-Chemnitz 150 Dollar 78 Cent	226 : 5 :
	Preuß. Cour. 507 Thlr. 19 Ngr.

Wenn man sich sehr einschränkt und die Reise von Dalten nicht über Chattanooga, sondern zu Fuße nach Kingston macht und das Gepäck und die Kinder fahren läßt, so können noch folgende Ersparnisse gemacht werden:

Die Zehrungskosten bis Bremen sind dadurch, daß man von Leipzig Lebensmittel mitnimmt, zu vermindern um	Preuß. Cour. 2 Thlr. — Ngr.

Getränk und Trinkgelder in Bremen können wegfallen	1 Geldthlr.	—	Groot.
Statt Matratzen von Seegras kauft man ordinäre Strohsäcke und erspart dadurch	7	36	
Etwas Geschirr hat man vom Hause mitgenommen und kauft deshalb an Blechgeschirr weniger für	1	36	
Man kauft nur für 5 Thaler Extra-Lebensmittel und erspart	5	—	
Man fährt auf dem Weserkahn nach Bremerhaven, welches nichts kostet, dagegen muß man sich $1\frac{1}{2}$ Tag länger beköstigen, ungefähre Ersparniß	2	—	
Bremer Geld	17 Geldthlr.	—	Groot.

Obst und frisches Brod in New-York auf dem Schiffe kann wegfallen, ebenso Getränk und Obst in New-York selbst	1 D.	50 C.
Zehrung auf dem Segelschiffe nach Charleston ist zu mindern um	6	—
Aufenthalt in Augusta und Zehrung daselbst im Gasthofe ist zu ersparen, wenn man sehr eilt, um auf den Bahnhof zu kommen	4	—
Frühstück in Atalanta wegzulassen und dieses einschließlich der Lebensmittel nach Dalton zu ermäßigen um	—	50
Von Dalton aus zu Fuße nach Kingston, wenn eine Gesellschaft bei einander ist, die einen Gepäckwagen nehmen kann. Dann kostet das Gepäck 85 Cent für 100 Pfund; Kinder setzen sich mit auf. An Zehrung ist mit Einschluß des Nachtlagers in Kingston für 5 Tage $2\frac{1}{2}$ Dollar à Person zu rechnen, giebt gegen die Reise über Chattanooga eine Ersparniß von	17	—
Sa.	29 D.	— C.

Wiederholung.

Bis Bremen Preuß. Cour.	2 Thlr.	— Ngr.
In Bremen 17 Thaler Louisd'or	19 "	8 "
In Amerika 29 Dollar	43 "	15 "

Summe der Ersparnisse 64 Thlr. 23 Ngr.

Abgezogen von den zuerst berechneten 507 Thlrn. 19 Ngr., bleibt 442 Thlr. 26 Ngr.

Diese Summe kann noch weiter gemindert werden, wenn man nicht so viel Gepäck bei sich führt und wenn man die Ueberfahrt etwas billiger erlangt. Diese ist im Frühjahre am theuersten und wird gegen den Herbst stets billiger, so daß man im September vielleicht mit 30 bis 33 Thaler Geld fortkommt. Doch ist auf alle diese Ersparnisse nicht mit Gewißheit zu rechnen, da sich auch wohl unerwarteter Aufenthalt oder sonstige Ausgaben finden, und man wird wohlthun, 500 Thaler zur Reise zu bestimmen, weil es weit besser ist, etwas übrig zu behalten, als nicht auszureichen.

Temperatur- und Witterungsbeobachtungen

für

die Kolonie Wartburg, Morgan-County.

Ich füge diese Temperatur- und Witterungsbeobachtungen der Monate Januar und Februar bei, um Jedermann Gelegenheit zur Vergleichung der hiesigen Witterung mit der der Heimath um diese Jahreszeit zu geben. Bemerken muß ich jedoch, daß der diesjährige Winter, nach der allgemeinen Aussage der Amerikaner so kalt ist, wie er seit langen Jahren nicht gewesen; dem stimmen die Deutschen in Bezug auf die letzten Jahre bei. Die Messungen sind mit dem Celsius'schen 100theiligen Thermometer angestellt, und können also leicht auf Reaumur'sche Grade reducirt werden, indem 5 Grad Celsius gleich sind 4 Grad Reaumur. Das den Zahlen vorgesetzte + bedeutet Wärme, — Kälte. Wo gar keine Zahl angegeben ist, unterblieb die Messung.

Datum.	Grade nach Celsius. Früh 7 Uhr.	Grade nach Celsius. Nachm. 2 Uhr.	Januar 1849.
1.	—	+ 11	Bis gegen Mittag sonnig, aber windig, später trübe Luft und bewölkter Himmel.
2.	+ 3	+ 7	Früh sonnig und heiter, Nachmittag trübe und windig.
3.	0	+ 3	Es beginnt während der Nacht zu schneien und schneit ununterbrochen während des ganzen Tages. Dicht bedeckter Himmel, trübe Luft.
4.	— 2	— 2	Bedeckter Himmel, trübe Luft.
5.	— 3	— 3	Wie gestern, aber windig; gegen Abend hellt es sich auf.
6.	— 11	+ 2	Helles, sonniges Wetter.

Datum.	Grade nach Celsius. Früh 7 Uhr.	Grade nach Celsius. Nachm. 2 Uhr.	Januar 1849.
7.	− 3	− 3	Es schneit bis gegen Mittag; der Himmel ist bedeckt, die Atmosphäre trübe.
8.	+ 2	+ 2,5	Früh trüber, bedeckter Himmel, von Mittag an gelindes Thauwetter.
9.	− 2	− 2	Während der Nacht ein wenig Schnee. Trübe und naßkalt.
10.	− 4	− 2	Trübes Wetter, einige Sonnenblicke.
11.	− 15	− 0,5	Hell und sonnig.
12.	− 8,5	+ 4	Hell und sonnig, aber windig.
13.	+ 8,5	+ 9,5	Regnig, trübe und bewölkt, seit gestern Abend starker Westwind.
14.	+ 8,7	+ 11,5	Starker Regen während der Nacht und während des ganzen Tages.
15.	+ 17	+ 12,5	Es regnet den ganzen Vormittag, dann klärt es sich auf.
16.	+ 1,5	+ 12	Der Morgen sonnig und klar, gegen Abend wird es trübe und fällt etwas Schnee.
17.	+ 11	+ 11,5	Während der Nacht und des Vormittags heftiger Regen, gegen Mittag einige Sonnenblicke, dann bedeckter Himmel, Abends fällt Regen mit Schnee.
18.	+ 0,5	+ 2	Bedeckter Himmel, gegen Mittag klärt es sich auf.
19.	− 6	—	Schönes, heiteres Wetter, Abends der Himmel dunkel, Nachts viel Regen mit Schnee.
20.	+ 1	+ 3,5	Morgens eisiger Regen und alle Bäume und Sträucher über und über mit kleinen Eiszacken behangen. Tags über theils starker, theils Sprühregen, oder in feinen Tröpfchen fallender Nebel. Nachts wiederum starker Regen.
21.	+ 8	+ 8	Früh starke Regengüsse, dann während des übrigen Tages Sprühregen.
22.	+ 0,7	+ 5,5	Heiter und sonnig.
23.	− 2	—	Desgl.
24.	− 2	+ 12,5	Früh sonnig, dann bewölkt und trübe.
25.	+ 13	+ 16	Regen während der Nacht, Tags über bewölkt, trübe und windig, Abends starke Regengüsse und heftige Windstöße.
26.	+ 8	—	Früh bewölkt und windig, später heiter.
27.	+ 2,5	+ 10	Heiter und sonnig.
28.	+ 1	+ 14	Vormittag heiter, dann trübe und bewölkt.
29.	+ 8	+ 16	Trübe und bewölkt.
30.	+ 15	+ 16	Schwül, trübe und bewölkt.
31.	+ 14	+ 18	Vormittag starker Nebel mit Sprühregen, dann trübe, aber ohne Regen.
			Februar.
1.	+ 14	+ 16	Vormittag regnig und windig, gegen Mittag wird es ruhiger und es hört auf zu regnen.

Datum.	Grade nach Celsius. Früh 7 Uhr.	Grade nach Celsius. Nachm. 2 Uhr.	Februar.
2.	+ 15	+ 10	Früh Nebel, grau bewölkter Himmel, heftige Regengüsse. In der Mitte des Vormittags hört der Regen auf, doch es bleibt trübe und bewölkt und ein kalter Nordwind fängt an zu wehen.
3.	+ 1	+ 16,5	Sonnig und heiter.
4.	+ 4	+ 5	Es beginnt in der Nacht zu regnen und regnet stark während des ganzen Tages.
5.	+ 2	+ 3	Heftiger Wind während der vergangenen Nacht. Früh trübe und Schneegestöber, gegen Mittag hellt es sich auf und die Sonne scheint, doch fallen immer einige Schneeflocken. Rauher Nordwind.
6.	— 5,8	+ 3,5	Früh reiner, blauer Himmel und Sonnenschein, so der ganze Tag. Rauher Nordwind.
7.	— 5	—	Heiter und sonnig, zuweilen bewölkt. Nordwind.
8.	+ 4,3	+ 5,5	Trübe und düster. Gegen Tagesanbruch erhebt sich ein rauher Westwind, der mit dem in den ersten Nachmittagsstunden beginnenden und während des ganzen Tages andauernden Sprühregen aufhört.
9.	+ 3	+ 9	Heiter und sonnig, etwas windig.
10.	— 3,5	+ 12	Heiter und sonnig.
11.	— 0,5	+ 13	Desgl.
12.	+ 1	+ 7	Desgl.
13.	+ 4,5	+ 12	Desgl.
14.	+ 4	+ 4	Trübe. Gegen Abend fängt es an zu schneien.
15.	— 8	0	Heiter und sonnig, aber windig.
16.	— 8	+ 1	Desgl.
17.	— 8	+ 0,4	Heiter, nach Mittag fängt es an zu schneien.
18.	— 10	—	Trübe.
19.	— 13,3	+ 2	Heiter und sonnig.
20.	0	+ 4	Trübe, dunstige Atmosphäre, stark bewölkter Himmel. Gegen Abend droht Regen.
21.	+ 3	+ 7	Sehr trübe und düster, dann und wann ein kurzer Sprühregen.
22.	+ 9	+ 10	Trübe und regnerig.
23.	+ 9	+ 17	Sonnig und heiter (Insekten zeigen sich: eine Wanderheuschrecke und eine Eidechse gefangen; die Bienen schwärmen lebhaft).
24.	+ 2,7	+ 15	Regnig und trübe.
25.	+ 3,5	+ 14	Windig, trübe, dann und wann ein Sonnenblick.
26.	+ 3	+ 16	Heiter.
27.	— 1	+ 18	Heiter (Laubfrösche gefangen).
28.	+ 1,5	+ 24	Heiter (Schmetterlinge und Insekten zeigen sich, so auch die Holzböcke).

Druck von J. F. Fischer in Leipzig.

65055 1

FSC
www.fsc.org
MIX
Papier aus ver-
antwortungsvollen
Quellen
Paper from
responsible sources
FSC® C141904

Druck:
Customized Business Services GmbH
im Auftrag der KNV-Gruppe
Ferdinand-Jühlke-Str. 7
99095 Erfurt